Debra.
with all v. best wishes
Nicholas

Forme materiali e ideologie del mondo antico 31
Collana diretta da Enrico Flores

Nicholas Horsfall

Virgilio:
l'epopea in alambicco

Liguori Editore

Pubblicato da Liguori Editore
Via Mezzocannone 19, 80134 Napoli

© Liguori Editore, Srl, 1991

Prima edizione italiana Novembre 1991

9 8 7 6 5 4 3 2 1 0

1998   1997   1996   1995   1994   1993   1992   1991

Le cifre sulla destra indicano il numero e l'anno dell'ultima ristampa effettuata.

Printed in Italy, Officine Grafiche Liguori, Napoli.

ISBN 88-207-2083-3

Indice

Premessa

Ci sono troppi libri, in troppe lingue, su Virgilio, per non parlare dell'ondata di articoli. Spero però di poter giustificare, brevemente ma adeguatamente, la pubblicazione di un altro volume. Forse anche peggio, scrivo con esperienza lunga di recensioni virgiliane, in varie riviste, purtroppo di tono non raramente negativo. Da cacciatore divento preda; è la conseguenza inevitabile di una posizione piuttosto chiara e definita da spiegare (o difendere) su molti problemi virgiliani, senza traccia, spero, di intenzioni polemiche. Sotto molti aspetti e nonostante la vasta bibliografia virgiliana, questo piccolo volume ha una metodologia ed uno scopo piuttosto originali. I miei debiti sono eterogenei ed abbastanza curiosi; spero di riconoscerli tutti in modo appropriato e chiedo umilmente scusa per eventuali omissioni. Sarà perciò mia intenzione di aiutare in qualche modo gli studenti universitari che si trovano di fronte al testo di Virgilio, privi di commenti seri ed aggiornati e perplessi di fronte all'enorme bibliografia poliglotta.

È uscita di recente una piccola introduzione deliziosa agli studi virgiliani di questo secolo[1]; per fortuna, l'autore non ripete i soliti dettagli sull'argomento e si concentra con perspicacia sui contributi principali. Mi son chiesto spesso perché gli eredi di Richard Heinze e di Eduard Norden[2] abbiano smesso di battere la grande strada dei loro

---

[1] Franco Serpa, *Il punto su: Virgilio* (Roma, 1987; Universale Laterza 712).

[2] Richard Heinze (1867-1929); v. *EV* s.v. (Perutelli); Eduard Norden (1868-1941); v. *EV* s.v. (Treves). Il contributo di Norden alla nostra comprensione dell'*En.* non si limita al commento al 6° libro; sempre fondamentale pure l'articolo *Vergils Aeneis im Lichte ihrer Zeit*, *NJbb* 7 (1901), 249-82, 313-34 = *Kl. Schr.* (Berlin 1966), 358-421.

maestri. L'effetto altamente nocivo del fascismo, del nazismo e della seconda guerra mondiale sugli studi classici cominciamo a capirlo un po' meglio[3]. Sotto certi aspetti torno deliberatamente indietro di ottanta anni. Mi diventa chiaro, ogni volta che mi metto ad indagare a fondo problemi virgiliani, che noi disponiamo di commenti molto buoni, anche se non molto aggiornati per i libri 2, 4 e 6 dell'*Eneide*[4], e per il resto nulla di serio, o almeno nulla di paragonabile ai commenti di Richter (1957) e di Thomas (1988) sulle *Georgiche*. Preferisco ammettere esplicitamente di aver cominciato con un commento vasto e non da pubblicare nel suo stato originario sul 7° libro: sono specialista perciò soprattutto degli ultimi libri, delle fonti prosastiche e dei problemi italico-antiquari.

Per una buona introduzione generale alle tecniche ed ai metodi di composizione dell'*Eneide*, il lettore è ancora costretto a risalire allo Heinze; la prima edizione di *Vergils epische Technik* è del 1902[5]! Tutto ciò che viene dopo è troppo breve, o troppo dettagliato, o troppo polemico. Sul libro bellissimo dello Heinze, gli anni cominciano a pesare; qualche tempo fa, cominciai ad aggiornare la bibliografia del primo capitolo per una traduzione inglese[6] e presto rinunciai all'impresa, che mi apparve impossibile. Esiste perciò una grossa lacuna, non da riempire coll'aiuto di tanti "-ismi" moderni. Cito *en passant*, come curiosità agghiacciante degli studi recenti, T.G. Rosenmeyer, *Deina ta polla. A classicist's checklist of twenty literary-critical positions* (*Arethusa* Monographs 12, Buffalo, 1988). Ammiro, d'altra parte, quasi sconfinatamente, il buon metodo tradizionale, non dimenticato negli ultimi 70 od 80 anni, ma qualche volta da individuare solo con fatica: ho imparato tanto da (per es.) G.J.M. Bartelink (Olanda), B. Rehm, A. Wlosok, W. Suerbaum e V. Buchheit (Germania), G.N. Knauer, R.B. Lloyd, R.R.

[3] V. Losemann, *Nationalsozialismus u. Antike* (Hamburg 1977); *EV* s.v. *Fascismo* (Canfora); una ricca serie di articoli in *Quaderni di Storia*, per es. A. Mantello, 25 (1987), 23-71.

[4] Secondo libro: V. Ussani (1961), R.G. Austin (1964); quarto libro: C. Buscaroli (*Il Libro di Didone*; 1932), A.S. Pease (1935); sesto libro: Eduard Norden (ed. 1. 1903; ed. 3. 1927), R.G. Austin (1977).

[5] Ed. 3, 1915, rist. 1965.

[6] Non ancora uscita; è curata da D. ed H. Harvey e sarà stampata dal Bristol Classical Press.

Schlunk, W. Clausen e R. Thomas (Stati Uniti), G. Pasquali, A. La Penna e G. D'Anna (Italia), A.-M. Guillemin, J. Perret, e pure J. Carcopino (Francia), Roland Austin, Stephen Harrison, Denis Feeney e David West (Inghilterra). Spesso semplicemente non riesco a capire la necessità di inventare tutt'un nuovo gergo critico per rispiegare in linguaggio "aggiornato" un'idea già chiara nella lingua perspicua di un (per es.) Giorgio Pasquali, e spesso mi insorge un dubbio sull'ampiezza delle vedute, sulla ricchezza delle percezioni, sulla solidità dell'equilibrio di libri, pur intelligentissimi, che si concentrano su un unico aspetto dell'epos (Conte, Hardie, Binder, tra i migliori degli anni recenti)[7]. Ma ammetto volentieri di aver imparato molto anche da studiosi virgiliani da me criticati per vari motivi. Il mio gusto per le fonti, le origini, i problemi tecnici, le allusioni dotte, i nomi ed i luoghi, i patronimici, le leggende, le digressioni, le piccole incoerenze, per gli indizi nascosti e le difficoltà irrisolte mi ha portato verso tentativi di soluzione di certi problemi grossi e fondamentali di creazione, di erudizione, di tecnica poetica, di rapporti tra poeta e lettore.

Mi offre vero conforto il fatto, osservato attraverso vent'anni di attività di recensore, che la qualità di una gran parte dei libri su Virgilio che leggo migliori notevolmente. Per le *Georgiche* abbiamo finalmente un commento (Thomas; v. una mia lunga recensione che sta per uscire nella *RFil*) sotto molti aspetti buonissimo, opera di uno studioso che capisce molto dei metodi e delle tecniche del poeta, e dei rapporti tra autore e lettori dotti: si tratta di un neo-zelandese, che si è formato ed insegna negli Stati Uniti; il suo commento si inscrive nella tradizione inglese ma sulla scia intellettuale di Pasquali e di Clausen (USA)[8]! Convengo coll'autore che dobbiamo cercare per la mente buon cibo dovunque si possa trovare.

Sembrava perciò non inopportuno il tentativo di scrivere un libro sulle tecniche poetiche, le strutture intellettuali, ed i metodi di composizione dell'*Eneide*[9]: volevo ristabilire una percezione solida della vasta

---

[7] G.B. Conte, *Il genere e i suoi confini* (Torino 1980), P. Hardie, *Virgil's Aeneid: cosmos and imperium* (Oxford 1986), G. Binder *Aeneas und Augustus*, (Meisenheim 1971).

[8] Per i metodi del poeta sono utilissimi pure alcuni articoli di Thomas, in particolare *HSCP* 90 (1986), 171-98 e 91 (1987), 229-60.

[9] In un certo senso un rifacimento drastico delle pagine 239-64 dello Heinze.

trama di erudizione consapevole e ricostruire l'essenziale dei rapporti complicatissimi tra il *doctus poeta* ed i suoi lettori colti. La chimica sottilissima che discuterò non è quella solita delle parole e dell'allusività "letteraria", ma risale piuttosto al sogno dell'alchimia, di trasmutare i "metalli bassi", cioè un'infinità di dettagli e di leggende, una vasta gamma di fonti spesso prosastiche, nell'"oro" di un'epopea insuperata. L'alambicco del mio titolo serve non solo per raffinare ma anche per creare; parlo non di magia ma anche di costruzione, non solo di immaginazione ma anche di erudizione, e del contatto piuttosto intellettuale che non spirituale tra Virgilio ed il suo lettore colto. Ho già osservato varie volte[10] un fatto di storia letteraria inglese che mi sembra molto significativo. Per il romantico Coleridge, abbiamo non solo un quaderno con appunti di lettura ed abbozzi ma anche il registro della biblioteca pubblica di Bristol, donde prendeva libri in prestito durante la composizione di "Xanadu" e dell'"Ancient Mariner". Sulla creazione "erudita" di queste poesie, abbiamo un saggio brillante e affascinante di John Livingston Lowes[11] e letteralmente per decenni ho sentito dentro di me la sfida di scrivere un libro collo scopo, in un certo senso, di ricostruire i quaderni di Virgilio, se non il registro dei prestiti della biblioteca palatina!

Cominciai a studiare Virgilio attentamente venticinque anni fa ed ho continuato quasi senza interruzione. Ma non è mia intenzione fare l'elenco qui di tutti i libri buoni (e cattivi) che ho letto, di tutti gli insegnanti che mi hanno influenzato all'inizio, o di tutti gli amici con i quali ho discusso problemi virgiliani. La bibliografia virgiliana è diventata ipertrofica (morirono pure i mammut!). Grazie ai contributi di Suerbaum all'*ANRW* ed alle bibliografie dell'*EV*, qualsiasi esordiente ingenuo ed acritico può ammucchiare un elenco imponente ed inutile di riferimenti per le sue note. Mi limiterò rigorosamente a quel poco che — secondo me — potrà aiutare il lettore e mi autociterò solo quando mi sembra necessario.

---

[10] *Athen.* 66 (1988), 51, *CR* 29 (1979), 222s.; ebbe la stessa idea l'eccentrico W.F. Jackson Knight, *Humanitas* 3 (1950-1), 2.
[11] *The Road to Xanadu: a study in the ways of the imagination* (I ed. Londra 1927; varie ristampe).

Ho già indicato i saggi principali che hanno contribuito a formare le mie prospettive da virgilanista. Verso il '69 Margaret Hubbard cominciò a spiegarmi qualcosa delle basi necessarie (ero a quel punto dottorando) per una comprensione adeguata dell'*Eneide*, e del modo giusto di scrivere un commento virgiliano. Spero tra poco di spolverare, di aggiornare, e soprattutto di abbreviare il mio commento sul settimo libro[12]. Come in questo studio, riconoscerò pienamente il mio debito di gratitudine verso Margaret sia sul piano scientifico che su quello umano. Circa dieci anni dopo, con tutta la sua ampia autorità morale (espressa, come al solito, con pari benevolenza), George Goold mi ammonì di avere un debito: non potevo continuare a soppesare minuziosamente tanti problemi senza pubblicare un libro. Pago adesso il debito ed esprimo la mia gratitudine pure all'amico George. Nell'88 il preside Flores dell'Istituto Orientale di Napoli mi propose molto gentilmente (coll'appoggio dell'amico Albio Cesare Cassio) di fare un ciclo di dieci conferenze sull'*Eneide*, ed all'inizio dell'anno successivo accolse quelle conferenze nella sua collana "Forme materiali e ideologie del mondo antico". Sono molto grato, non solo a quei miei colleghi di Via Loggia dei Pisani (colleghi per due settimane stancanti ed affascinanti) ma pure ai miei ascoltatori fedeli[13]; devo molto alla loro curiosità e vivacità, segno indimenticabile della migliore tradizione intellettuale partenopea. Sono pure gratissimo agli amici che mi hanno mandato i loro estratti virgiliani, e che hanno discusso, o *per litteras* o *viva voce*, vari problemi tecnici — per es. Antonie Wlosok, Niko Knauer, Stephen Harrison, Michael Paschalis, Richard Thomas, Denis Feeney, Jacques Perret, David West, Giovanni D'Anna, Giorgio Brugnoli, e a quanti mi hanno invitato a fare conferenze o a contribuire su argomenti virgiliani — Francis Cairns, Wendell Clausen, Ward Briggs, Mario Geymonat, Antonio La Penna, Scevola Mariotti. *Ultimam sed primam*, vorrei ringraziare mia moglie Mariateresa: rassegnandosi alla mia prosa laconica ed esplicita (l'illuminista inglese, di formazione anglo-tedesca, è semplice-

---

[12] Gli ostinati possono consultare la copia della tesi di dottorato depositata presso la Bodleian Library di Oxford, *Aeneid VII; notes on selected passages*, 1971.

[13] Paolo Asso, Mario Lauletta, Stefania Mancini, Lucia Pastore, e Rosario Tronnolone.

mente incapace di imitare i periodi stupendi e sfumati del carissimo suocero arcade) si è limitata ad eliminare con gentile pazienza le paperette; perciò merita la dedica di questo piccolo volume, inevitabilmente, come spero di aver spiegato, asciutto ed arretrato.

Nicholas Horsfall

Nota

Il testo di Virgilio seguito in questo libro sembrerà ogni tanto anomalo agli specialisti. Lo è: la mia ortografia è più vicina a quella di Mynors (Oxford Classical Text), la punteggiatura e le scelte critiche sono spesso indipendenti.

ノ

Abbreviazioni

Segue un elenco delle abbreviazioni usate per riviste, manuali ed enciclopedie; per autori e testi adopero i sistemi di LSJ e TLL (v. infra), ampliandoli leggermente. È ovviamente più comodo citare Dion. Al. o G. al posto di Dionigi di Alicarnasso, *Antiquitates Romanae* o Virgilio, *Georgiche*, per non parlare di PW invece di A.F. von Pauly, G. Wissowa, W. Kroll, *Realencyclopädie der classischen Altertumswissenschaft* (Stuttgart 1893-).

AJA	American Journal of Archaeology
AJPh	American Journal of Philology
Ann. Phil.	Année Philologique
Anc. Soc.	Ancient Society
Athen.	Athenaeum
ANRW	Aufstieg und Niedergang der römischen Welt
BASM	Bollettino dell'Associazione internazionale di studi mediterranei
Berl. Phil. Woch.	Berliner philologische Wochenschrift

BICS	Bulletin of the Institute of Classical Studies (Londra)
Boll. Stud. Lat.	Bollettino di Studi Latini
Buc.	Virgilio, *Bucolica* (meglio non *Eclogae*)
CHCL	Cambridge History of Classical Literature
CIL	Corpus Inscriptionum Latinarum
CJ	Classical Journal
Class. et Med.	Classica et Mediaevalia
Coll. Lat.	Collection Latomus
CPh	Classical Philology
CQ	Classical Quarterly
CR	Classical Review
CRAI	Comptes-rendus... de l'Académie des inscriptions et belles-lettres
CSCA	California Studies in Classical Anitiquity
CSEL	Corpus Scriptorum Ecclesiasticorum Latinorum
DServ.	v. SDan.
EMC	Echos du Monde classique
En	Virgilio, *Eneide*
EV	Enciclopedia Virgiliana
FGH	Fragmente der griechischen Historiker
FHG	Fragmenta historicorum graecorum
FPL	Fragmenta poetarum latinorum (ed. W. Morel, K. Büchner)
FPR	Fragmenta poetarum romanorum, ed. A. Baehrens
Gnom.	Gnomon
GR	Greece and Rome
GRBS	Greek, Roman and Byzantine Studies
GRF	Grammaticorum romanorum fragmenta
G. o *Georg.*	Virgilio, *Georgica.*
HSCP	Harvard Studies in Classical Philology
Herm.	Hermes
JEA	Journal of Egyptian Archaeology
Jhb. kl. Phil.	Jahrbücher für classische (o klass-) Philologie
JHS	Journal of Hellenic Studies
JRS	Journal of Roman Studies
Kl.P.	Der Kleine Pauly

Kl. Schr.	Kleine Schriften
Lat.	Latomus
LCM	Liverpool Classical Monthly
LSJ	A Greek-English Lexicon, ed. H.G. Liddell, R. Scott, H. Stuart Jones
MAAR	Memoirs of the American Academy in Rome
MDAI(R)	Mitteilungen des Deutschen archaeologischen Institute (Römische Abteilung)
MEFR	Mélanges de l'Ecole Francaise de Rome
MH	Museum Helveticum
Mnem	Mnemosyne
NJA	Neue Jahrbücher für das klassische Altertum
NJhb	Neue Jahrbücher für Philologie und Pedagogik
Pap. Oxy.	Oxyrhynchus Papyri
PBSR	Papers of the British School at Rome
PCPhS	Proceedings of the Cambridge Philological Society
PG	Patrologia Graeca
Philol.	Philologus
Phoen.	Phoenix
PL	Patrologia Latina
PLLS	Papers of the Liverpool (adesso Leeds) Latin Seminar
PMG	Poetae Melici Graeci
PP	Parola del Passato
PVS	Proceedings of the Virgil Society
PW	(v. nota all'inizio dell'elenco)
QUCC	Quaderni Urbinati di Cultura Classica.
RAC	Reallexicon für Antike und Christentum
Rev. Arch.	Revue Archéologique
REL	Revue des Etudes Latines
RPhil	Revue de Philologie
RFil	Rivista di Filologia
RhM	Rheinisches Museum
Roscher	W.H. Roscher (ed.) Ausführliches Lexicon der griechischen und römischen Mythologie
RVV	Religionsgeschichtliche Versuche und Vorarbeiten
Schanz-Hosius	M. Schanz, C. Hosius, *Geschichte der römischen Literatur*

Schmid-Stählin	W. Schmid, O. Stählin, *Geschichte der griechischen Literatur*
Susemihl	F. Susemihl, *Geschichte der alexandrinischen Literatur*
Serv. Dan. o SDan.	Servius Danielinus
TAPA	Transactions of the American Philological Association
TLL	Thesaurus Linguae Latinae

1. Pelare il carciofo

Esiste un modo di mangiare il carciofo, molto diffuso specialmente in Francia ed in Inghilterra, secondo il quale l'affamato comincia con le foglie esterne, cotte a vapore, e mangia quel po' di morbido che c'è, con olio ed aceto. A poco a poco le foglie diventano più morbide, più appetitose. L'impresa comincia a sembrare un piacere. Poi, un momento di crisi: arrivi alla barbetta, quella copertura pelosa che dà molto fastidio alla bocca, che devi levare senza lasciarne traccia. Arrivi finalmente al cuore, estremamente buono, morbido, succulento. Offro tutta questa storia delle fatiche del buongustaio come metafora per la lettura dell'*Eneide*.

Per la maggior parte dell'epopea mancano, come ho già indicato, commenti sufficientemente dotti ed aggiornati, soprattutto sui libri 7-12; la situazione va migliorando, ma nel frattempo rischiamo di rimanere vittime della pigrizia o dei pregiudizi dei nostri predecessori. Quando cerchiamo di ricostruire il legame intellettuale tra Virgilio ed i suoi primi lettori, l'impresa risulta difficile, specialmente nel caso di discussioni basate su quegli ultimi sei libri "dimenticati". Per il lettore che cerca seriamente di capire l'*Eneide* come poesia dotta, come sfida erudita, come giuoco elegante tra autore e pubblico — non parlo per il momento di altri aspetti — la strada è ancora dura, lunga, e tortuosa. Adesso che capiamo qualcosa dell'erudizione e dell'allusività delle *Bucoliche* e molto degli stessi aspetti delle *Georgiche*[1], è ben strano immagi-

---

[1] V. *EV* s.v. *Arte allusiva* (Fedeli), il commento di Thomas sulle *G.* e gli articoli di quest'ultimo citati nella nota 8 della premessa.

nare che verso il 29 a.C. il Mantovano si rimbambinasse (un'impressione certamente offerta dai molti commenti piuttosto sterili, soprattutto sui libri 7-12). Tutto ciò che invece si sa dello sviluppo mentale del poeta[2], e tutto ciò che abbiamo imparato dai pochi studi seri sull'*Eneide* come poesia dotta[3] dovrebbe portarci all'idea di base che la tessitura intellettuale dell'epopea sarà anche più ricca, densa e complicata, soprattutto, direi, proprio in quegli ultimi sei libri, dove il poeta trasfigura non solo l'*Iliade* ma grandi tratti della tradizione romana antiquario-annalistica. I giuochi verbali coinvolgeranno adesso non solo latino e greco (non dimentichiamo qualche parola di Punico)[4], ma anche vari dialetti italici (e qualche parola di celtico)[5]; l'allusività diventerà non solo più poliglotta ma biculturale. Il lettore, già abituato a leggere Virgilio con Omero, Pindaro, Euripide, Apollonio (*inter alios*) a portata di mano (o nella memoria!), adesso sta giuocando in casa e dovrà pescare dagli scaffali forse Catone e tutt'un mucchio di rotoli di Varrone per capire bene il poeta.

A quell'intreccio complicato e sempre più affascinante torneremo tra poco. Come indicazione di metodo, di interessi personali e del modo appropriato di leggere l'*Eneide*, preferisco scegliere un passo rinomatissimo e tante volte studiato, cioè la scoperta del ramo d'oro nel sesto libro (201-11), per illustrare «le regole del giuoco» tra Virgilio ed il lettore, quel giuoco che lo studente serio dell'*Eneide* deve, o dovrebbe, cercare sempre di ricreare nei suoi termini originali, senza l'inquinamento di concetti, sistemi, o teorie modernistiche.

---

[2] Sull'unità dell'opera virgiliana, v. F. Klingner, *MDAI(R)* 45 (1930), 43-59, ristampato nelle varie edizioni del suo *Römische Geisteswelt* (v. Serpa (premessa, n. 1), 31-6); lo stesso concetto presso B. Otis, *Virgil.* (Oxford 1964; v. Serpa (*l.c.*), 68); più utile lo studio di G.N. Knauer, *ANRW*, 2.31.2, 870-918, sullo sviluppo dell'*imitatio* virgiliana di Omero.

[3] V. Horsfall, *Antichthon* 15 (1981), 141-50, *Vergilius* 32 (1986), 8-17, *EV* s.v. *Varrone (e l'Eneide)*, G.J.M. Bartelink, *Etymologisering bij Vergilius* (Amsterdam 1965), B. Rehm, *Das geogr. Bild des alten Italiens in Vergils Aeneis, Philol.*, Supplbd. 24.2 (1932).

[4] *Noua Carthago*, 1.298, *Byrsam*, 1.367 (Bartelink (n. 3), 44-6).

[5] V. le discussioni di *Hernica saxa* (7.684), *sulpurea Nar albus aqua* (7.517), e di *maliferae...Abellae* (7.740), ed *EV* s.v. *Gallicismi*. Da usare con prudenza I. Zwicker, *De vocabulis et rebus gallicis* (Leipzig 1905).

inde ubi uenere ad fauces graue olentis Auerni,
tollunt se celeres liquidumque per aera lapsae
sedibus optatis gemina super arbore sidunt,
discolor unde auri per ramos aura refulsit.
quale solet siluis brumali frigore uiscum
fronde uirere noua, quod non sua seminat arbos,
et croceo fetu teretis circumdare truncos,
talis erat species auri frondentis opaca
ilice, sic leni crepitabat brattea uento.
corripit Aeneas extemplo auidusque refringit
cunctantem, et vatis portat sub tecta Sibyllae.

«Quando poi esse giunsero alle fauci del maleodorante Averno, rapide si levarono ed attraverso l'aria limpida, planando, nelle sedi ambite sull'albero di duplice natura s'assisero, donde tra i rami la luce rifulse trascolorata d'oro. Quale nella selva il vischio al freddo brumale suole rinvigorirsi di nuove fronde, che non ha la sua pianta seminato, e di crocei germogli circondare i lisci tronchi: tale era l'aspetto dell'oro frondeggiante sull'opaco, così al vento leggero la lamina crepitava. Subito Enea l'afferra e, avido, la resistenza ne infrange: e la porta nell'antro della profetessa Sibilla».

In una delle molte versioni della storia della fondazione di Napoli (Staz. *Silv.* 3.5.78)[6], i colonizzatori, grazie ad Apollo, approdano a Partenope, guidati da una colomba, l'uccello di Venere; *maternas...avis* dice Virgilio (193). Il ruolo di un animale o di un uccello come guida, per condurre un gruppo di colonizzatori alla sua terra promessa, è un motivo molto comune nella narrativa storico-leggendaria, che Virgilio evita deliberatamente, mi sembra[7], durante il viaggio di Enea. La scrofa trovata sulle sponde del Tevere Virgilio la fa uccidere lì per lì (8.84-5), mentre in altre versioni essa serve a condurre Enea sul sito della futura Lavinio[8].

---

[6] A.S. Pease, *CPh* 12 (1917), 7-8, Horsfall, *Vergilius* 35 (1989) 13.

[7] Cfr. Norden, *Aen.* 6$_4$, 173-4; è strana, ma non eccezionale negli studi virgiliani, la mancanza di discussioni su ciò che appare un'omissione ovvia e deliberata. Cercherei la spiegazione dell'omissione nell'ambito della stretta osservanza da parte di V. delle regole del *decorum*.

[8] E.L. Harrison, *PLLS* 5 (1985), 135-64, Horsfall, *Antichthon* 15 (1981), 146, B. Grassmann-Fischer, *Die Prodigien in Vergils Aeneis* (München 1966), 54-63.

Solo qui nel sesto libro, in circostanze totalmente fuori del comune, Virgilio si permette l'uso di un motivo che, altrove, sarebbe potuto sembrare insufficientemente serio, arduo, dignitoso per il suo eroe.

Le colombe conducono Enea fino all'orlo di Averno, *graueolens*, la fumarola maleodorante, *unde locum Grai dixerunt nomine Aornon*, come spiega giustamente il verso interpolato 6.242[9]: le esalazioni sono letali proprio per gli uccelli. Anche più paradossale potrà sembrare il paragone dell'albero fatale, col ramo d'oro al quale gli uccelli portano Enea, col vischio, che si mette a fiorire d'inverno: il vischio stesso veniva usato comunemente proprio per intrappolare gli uccelli[10]. Sia *lapsae* che *sidunt* (202,3) appartengono al linguaggio particolare dei portenti romani, cioè indicano implicitamente il carattere miracoloso del ritrovamento del ramo[11]. Le *fauces* di 201 sono proprio un altro termine tecnico[12] per indicare, in testi geografici e scientifici, l'orlo di un cratere. Il gusto di Virgilio per le *proprietates verborum*, l'uso preciso, tecnico, specializzato delle parole viene spesso notato dai commentatori antichi[13].

Passiamo, brevemente, al famoso albero: c'è lunga nota in Servio (*ad En.* 6.136): *licet de hoc ramo hi qui de sacris Proserpinae scripsisse dicuntur, quiddam esse mysticum adfirment, publica tamen opinio hoc habet* — Oreste, fuggito dalla Tauride, fondò il tempio di Diana a Nemi. *In huius templo... fuit arbor quaedam, de qua infringi ramum non licebat*. In tutto il rito riportato da Servio, non c'è niente in comune con la narrazione di Virgilio. Certamente, come osservarono ben presto Otto Gruppe ed Eduard Norden, la *publica opinio* presso Servio, l'unico legame tra Cumae e Nemi, tra Enea ed i preti ex-assassini, anche loro assassinandi, è sostegno insufficiente per la tesi centrale dei tanti volumi del "Ramo

---

[9] E. Fraenkel, *MH* 20 (1963), 234, cfr. W.T. Avery *CPh* 50 (1955), 257-8.

[10] *Ant. Pal.* 9.87.7, Bione 2.5, Opp. *Hal.* 1.32, ps. Opp. *Ixeutica* (in due libri, persi!), *Ant. Pal.* 6.109, 152.2, 9.209, 273.4, 824.4, PW s.v. *Mistel* 2069.67ss. (Steier).

[11] *Sidunt*, F. Luterbacher, *Prodigienglaube u. Prodigienstil* (Burgdorf 1904), 51, *lapsae*, Grassmann-Fischer (n. 8), 35, n. 46.

[12] *TLL* 6.1.397.49ff.

[13] H.D. Jocelyn, *PLLS* 2 (1979), 112-6, v. l'indice ("rerum et nominum"; *Cornell Studies* 23 (1930), curato da J.F. Mountford e J.T. Schulz) al commento di Servio e la mia nota "Barbara tegmina crurum" in *Maia* 41 (1989), 251-4. *EV* s.v. *Tecnicismi*.

d'Oro'' di Sir James Frazer[14]. Non vedo la necessità di un'interpretazione mistica qui, né di un legame con i culti di Nemi, nemmeno la necessità di un'allusione virgiliana a quei riti complicati e crudeli. Spero di poter offrire tra qualche pagina buoni motivi, solido sostegno, e testimonianza trascurata a questo mio scetticismo, che può sembrare a prima vista così estremo.

Servio, chiaramente, era indeciso; Cornuto, intellettuale stoico e liberto di Seneca il Giovane osservò (ap. Macr. 5.19.2) *sed adsuevit poetico more aliqua fingere*[15] *ut de aureo ramo*. Il passo dimostra esplicitamente che già meno di un secolo dopo la morte del poeta, non si sapeva nulla — nei ceti più colti di Roma — delle origini del ramo. La soluzione è classica, letteraria, e certamente non esoterica:

«The bough has no known literary ancestry». «Il ramo non ha antenati letterari conosciuti» scrisse il compianto Roland Austin nel suo commento molto buono, molto ricco, leggermente, e volutamente conservatore. Falso, come egli poteva sapere da un articolo da lui stesso citato[16]. La tesi della Michels è stata ripresa di recente dal mio caro amico David West[17]. Il risultato è straordinariamente semplice e probante: prima di Virgilio esisteva già un altro ramo d'oro letterario, proprio in una poesia famosa, la ''prefazione'' alla *Ghirlanda* di Meleagro, una collezione di epigrammi che Virgilio certamente conosceva, come è d'altronde chiaro e dimostrabile con facilità[18]. L'antologista elabora un paragone lungo ed elegante tra i suoi contributori e vari tipi di pianta ed albero (*Ant. Pal.* 4.1): il ramo d'oro (v. 47), che risplende da tutte le parti, come quello di Virgilio (204), grazie alle virtù dell'autore, è il simbolo del divino Platone, non solo filosofo ma poeta. Troveremo (cap. 7) una quantità notevole di indicazioni simili: il *poeta doctus* ama

---

[14] O. Gruppe, *Berl. Phil. Woch.* 1912, 745, 1914, 1557-8, E. Norden, *Aen.* 6₄, 164, n.1.

[15] Per una discussione aggiornata di *fingere* presso i critici antichi, v. *Athen.* 66 (1988), 49-50.

[16] A.K.L. Michels, *AJPh* 66 (1945), 59-63, ''The Golden Bough of Plato''.

[17] *The Bough and the Gate* (Exeter 1987) = Harrison (cap. 10, n. 47), 224-38; cf. *Athen.* 66 (1988), 32.

[18] Cfr. *CR* 29 (1979), 223, Thomas a G. 1,308.

indicare le sue fonti[19]. Mi sembra molto strano che nessuno, prima del '45, abbia messo insieme i due rami d'oro della letteratura antica, né l'una né l'altra tramandata in testi oscuri! Qui il motivo è persino ovvio: il ramo "platonico" prepara il lettore colto ed attento a riconoscere l'elemento così consistente di influenza platonica nel resto del sesto libro. Mi riferisco soprattutto al mito di Er (*Rep.* 10) — anch'egli andò nell'Oltretomba (almeno nell'anima), tornò, e raccontò ciò che aveva visto — ed alle somiglianze tra la teologia dell'oltretomba in 6.724ss. e gli elementi orfico-pitagorici che si ritrovano in Platone[20].

Dall'albero, passiamo al vischio stesso. È stata una piccola tragedia scientifica che i primi interpreti seri, nei tempi moderni, del passo che stiamo analizzando fossero tedeschi od anglo-sassoni — parlo soprattutto di Eduard Norden e di Sir James Frazer. Erano incantati dalle scoperte dei folkloristi al punto di non poter più leggere il testo di Virgilio con rigore filologico stretto e disinteressato, di non poter più sentire il latino *perpurigatis auribus*, senza il minimo preconcetto, e perciò non esitavano a sovrimporre le loro mitologie delle foreste nordiche sul povero Virgilio. «The mistletoe simile is about the appearance of gold shown up against the dark evergreen leaves of the ilex». «Il paragone del vischio riguarda l'apparenza dell'oro in contrasto con le foglie sempreverdi scure del leccio. Not a whisper, non un sussurro su Baldur o Loki o Hödur. Non un accenno alla magia, all'Oltretomba, all'inverno, alla vita, alla morte». Così, con il suo solito rigore, buon senso ed umorismo, di nuovo David West (n. 17,6). Sono pienamente d'accordo. Anzi, penso di poter corroborare le sue posizioni. I due volumi massicci di Otto Gruppe, *Griechische Mythologie*[21] hanno un indice stupendo di argomenti (pp. 1897-1923): sotto *Mistel*, vischio, non c'è nulla a parte il sesto dell'*Eneide*! Siamo perciò autorizzati a concludere che il vischio non abbia significato o risonanze nella mitologia greco-romana.

Visci tria genera scrive Plinio il Vecchio (*Nat.* 16.245); si chiama proprio vischio il genere che cresce sul leccio sempreverde: *inhaerere...in aeterna fronde*, il vischio si attacca. Ci sono, beninteso due capitoli in

---

[19]   V. cap. 7, *Athen.* 66 (1988), 32, n. 11.
[20]   Cf. *EV* s.v. *Pitagoreismo, Platone*, ed i commenti di Norden e di Austin.
[21]   München 1906.

Plinio sull'importanza del vischio per i Druidi (16.249-50), già sfruttati con entusiasmo dai critici di West[22]: non dimostrano, però, la conoscenza di codeste idee strane e barbare a Roma ai tempi di Virgilio; analizzando *Nat.* 29.53, avrei un forte sospetto che queste informazioni derivino proprio dall'*autopsia* dell'autore, forse attraverso un *excursus* nel suo *Bellum Germanicum*[23]. Per i tempi di Virgilio ci mancano le testimonianze (*pace* Fowler) per dimostrare che il significato mistico-nordico del vischio fosse noto a Roma. Dovremmo insomma resistere alla tentazione di rileggere Virgilio col senno del poi e guardare brevemente, per contrasto, al significato del vischio per un autore informato dell'epoca di Virgilio. È un simbolo, semplicemente, delle cose appiccicose: il vischio che intrappola gli uccelli, gli occhi che catturano un amante, i dettagli che ostruiscono lo sviluppo di una narrazione[24]. Niente in comune col passo che discutiamo. Di nuovo, David West sembra avere ragione quando insiste che il paragone illustri solo l'effetto visivo.

Possiamo di nuovo fare un piccolo passo avanti. Il dono del Ramo d'Oro *hoc sibi pulchra suum ferri Proserpina munus/instituit* (142-3; cfr. Serv. a v. 136); *pulchra* rievoca l'appellativo greco καλλίϲτη (Norden, p. 171). L'albero e *Iunoni infernae dictus sacer* (138). Il ramo sarà deposto sulla soglia di Proserpina solo più tardi (635-6).

Comportandosi così Enea sembra avvicinarsi agli iniziati di Eleusi, i μύϲται, che portavano anch'essi dei rami κλάδουϲ οὓϲ οἱ μύϲται φέρουϲι[25]. Sembra a questo punto piuttosto probabile che ci sia un filo di allusioni proserpinee ed eleusine nel sesto libro. Niente di sorprendente: anche Augusto fu iniziato ad Eleusi (cap. 8 n. 52). Si può riconoscere, con estrema e dovuta[26] cautela, che ci sia qualche elemento nel testo di questo passo che il poeta ha tirato fuori dalle sue conoscenze dei rituali

[22] D.P. Fowler, *GR* 36.1 (1989), 103-4.

[23] In venti libri (persi), Plin. *Ep.* 142-3; cfr. C. Jullian, *Histoire de la Gaule 2* (Paris 1908), 165-9, T. Köves-Zulauf, *Lat.* 36 (1977) 48-55 = *Kl. Schr.* (Heidelberg 1988), 208-15.

[24] V. LSJ s.v., n. 10 sopra, Luciano *Hist. conscr.* 57, *Catapl.* 14.

[25] Schol. Ar. *Eq.* 408, M. Blech, *Studien zum Kranz* (*RVV* 38, Berlin 1982), 252s.

[26] V.F. Graf, *Gnom.* 53 (1981), 545-8, 58 (1986), 360-3, Horsfall, *JRS* 71 (1981), 220-1.

di Eleusi, adattandolo alla situazione di Enea. Servio, si ricorderà, dice *licet de hoc ramo hi qui de sacris Proserpinae scripsisse dicuntur quiddam esse mysticum adfirment.* Un virgilianista antico, e piuttosto informato, sapeva che gli specialisti in un altro campo — o così si diceva, *dicuntur* — affermassero che il ramo avesse qualche significato nei misteri. Abbiamo identificato solo un altro filo nella trama, non la chiave che apre tutte le porte!

E finalmente *cunctantem*, una parola che ha suscitato una bibliografia massiccia; dobbiamo tornare alla descrizione originale dell'albero miracoloso (136-7) *latet arbore opaca aureus et foliis et lento uimine ramus...* (146-8) *carpe manu, namque ipse uolens facilisque sequetur, / si te fata uocant; aliter non uiribus ullis/uincere nec duro poteris conuellere ferro.* A 211, cioè solo sessanta versi dopo, troviamo il nostro *cunctantem.* Incoerenza? Indicazione che Enea non sia l'eroe chiamato dal destino?[27]. O semplice realismo? Il ramo (137) è descritto come *lento uimine* ed inevitabilmente offre qualche resistenza agli sforzi impazienti (*auidus*) dell'eroe[28]: con abbondanza di dettagli descrittivi e con la narrazione anticipata della resa miracolosa del ramo (che ci fa pensare alla spada del re Artù!), Virgilio sembra creare un dilemma proprio irresolubile tra realismo dendrologico ed eroe predestinato ed onnipotente! È tipico dell'autore porre il dilemma e non risolverlo. Enea non è un eroe della taglia di Aiace e Diomede; il lettore ha l'impressione di una corporatura, di muscoli adeguati ma non fuori del comune[29]. Certo egli è, inconfondibilmente, l'eroe chiamato dal fato e, certo, il ramo si arrende alle sue mani; ma per Enea niente è facile: il ramo è *uolens facilisque* ma anche *lento uimine*; solo per un attimo terribile d'ansia non si separa

---

[27] Cfr. C. Segal, *Herm.* 96 (1968), 74ss., W.T. Avery, *CJ* 61 (1965), 269-72, J. D'Arms, ib. 59 (1964), 265, M.C.J. Putnam, *Poetry of the Aeneid* (Cambridge, Mass., 1968), 119-20.

[28] Serv.: *CUNCTANTEM aliud pendet ex alio: "cunctantem" quia "avidus", ut ostendat tantam fuisse avellendi cupiditatem, ut nulla ei satisfacere posset celeritas: nam tardantem dicere non possumus eum qui fataliter sequebatur. Alii "cunctantem" ad auri naturam referunt* (ma il ramo non è di oro!), *id est mollem, quia paulatim frangitur et lentescit. Alii "cunctantem" gravem dicunt, ut* (Buc. 8.16).

[29] M. Griffith, *CPh.* 80 (1985), 309-19.

dall'albero: in *cunctantem* trovo realismo, tensione, umorismo anche, variazioni di enfasi piuttosto che inconcinnità formale (spiegazione da scartare quando si tratta di due passi separati solo da sessanta versi!).

Il miracolo paradossalmente restio è in sé un elemento della narrativa religiosa di alto interesse: la nave che portava la pietra di Cibele a Roma nel 204 s'incagliò nel Tevere tra Ostia e la città (Ov. *Fast.* 4.304); la zattera che portava una statua di Ercole ad Eritre nella Ionia anch'essa si incagliò (Paus. 7.5.5)[30]. Che ci sia una certa somiglianza formale tra queste storie e quella della *cunctatio* del ramo d'oro non nego. Ma la nostra cultura ha assorbito ampiamente gli effetti sia positivi che deleteri di due secoli di studi sulla storia della religione antica[31], e siamo perciò diventati troppo disposti ad attribuire alla percezione di un autore antico (per es. Virgilio) tutto il significato che una tale somiglianza può assumere agli occhi di uno studioso moderno delle religioni. Imponendo termini, valori, giudizi ed interpretazioni moderne a Virgilio (o a qualsiasi altro autore antico), non arriviamo a conclusioni affidabili. Questo "principio" potrebbe sembrare banale ed ovvio; purtroppo non lo è. Non mi sembra affatto credibile che, nell'ottica del poeta, la *cunctatio* avesse un significato rituale, o poetico-mistico. Se avessimo qualche testimonianza più o meno esplicita, qualche traccia nei testi antichi atta a confermare l'inserimento della *cunctatio* del ramo nel contesto dell'"esitazione rituale", come concepita non da studiosi moderni ma da autori greco-romani, dovrei chiaramente ammettere anche questo filo nella trama, e lo farei volentieri.

Come stanno le cose, grazie all'allusione esplicita di Virgilio, *lento uimine ramus* — e Virgilio è un autore che adora la *Ringcomposition*, la composizione ad anello[32] — mi sembra la soluzione infinitamente più facile, prudente, e sensata accettare *cunctantem* come, essenzialmente, "realismo dendrologico".

Riassumo: tutto il passo sul Ramo d'Oro si trova in un contesto di imitazione omerica: la discesa di Enea negli Inferi rievoca l'undicesimo dell'*Odissea*[33]; ma in questi dieci versi abbiamo trovato anche elementi

[30] J.N. Bremmer, *BICS* Suppl. 52 (1987), 105-11.
[31] F. Graf, *Il mito in Grecia* (Roma 1988, Univ. Laterza 711), 8-42.
[32] K. Quinn, *Virgil's Aeneid* (London 1968), 164, *EV* s.v. *Struttura anulare*.
[33] G.N. Knauer, *Die Aeneis und Homer* (Göttingen 1964), 107-47.

tirati dalle leggende di colonizzazione, dalla vulcanologia, dal linguaggio dei portenti, dagli epigrammi di Meleagro, che ci fanno pensare a Platone, dai rituali di Eleusi, e dalla botanica. Il passo si comprende adeguatamente, direi, sulla base dei dati che vi vengono offerti dai testi classici: non dobbiamo farci iniziare nei misteri o perderci nelle foreste nordiche per capire Virgilio. L'informazione che possiamo, legittimamente, usare a sostegno delle nostre interpretazioni deve appartenere al mondo, ed alla cultura, del poeta.

2. Le Muse in biblioteca

Le Muse di Virgilio abitavano — *sit mihi fas audita loqui* (v.p. 130) non sulle pendici di Parnaso ma negli armadi e sugli scaffali di una buona biblioteca. Votato ed iniziato nel 36, durante la campagna contro Sesto Pompeo, il tempio di Apollo Palatino[1] fu dedicato nell'ottobre del 28 a.C. (un periodo di sviluppo molto simile a quello delle *Georgiche*). Non sappiamo se le biblioteche greca e latina facessero parte del progetto originale; dalle parole di Svetonio (sc. Augustus) *addidit porticus cum bibliotheca Latina Graecaque (Aug. 29.3)* non possiamo concludere che fossero un'aggiunta posteriore. Chi doveva dirigere tale impresa e donde erano da ricavare i libri? È improbabile che Igino fosse il primo bibliotecario; certo, lo diventò più tardi, ma nacque verso il 60 e perciò era sicuramente troppo giovane per sostenere l'incarico fin dall'inizio[2]. Sul destino del progetto di M. Terenzio Varrone non sappiamo nulla di preciso: nell'estate del 46, fu incaricato da Giulio Cesare di acquistare e sistemare biblioteche greca e latina *quas maximas posset* (Suet. *Iul.* 44). Chissà quanto poté fare in solo 21 mesi[3]. O quanti danni di fatto subirono le biblioteche di Alessandria durante l'incendio del 47. L'aneddoto del trasferimento di 200.000 rotoli da Pergamo ad Alessandria,

---

[1] G. Lugli, *Fontes ad topographiam... Romae pertinentes* 8 (Roma 1942), 57-72, S.B. Platner e Thomas Ashby, *Topographical Dictionary of ancient Rome* (Oxford 1929) s.v. *Apollo Palatinus, aedes.*

[2] A. Langie, *Les bibliothèques publiques* (Fribourg 1908), 48, Schanz-Hosius 2, 368, Kl. P.s.v., Funaioli, *GRF*, xxx.

[3] Horsfall, *BICS* 19 (1972), 122, J.E. Skydsgaard, *Varro the Scholar* (Copenhagen 1968), 122-4, R. Fehrle, *Das Bibliothekswesen im alten Rom* (Freiburg i. Br. 1986), 54-7.

ordinato da M. Antonio, ci fa pensare — se ci fidiamo del testo di Plutarco — ad una perdita notevole[4]. Inevitabilmente le traversie delle più importanti biblioteche ellenistiche avranno imposto allo sviluppo della "rivale" romana (perché tale certamente sarà sembrata) dei ritardi e delle frustrazioni. Non dovremmo dimenticare, però, Tirannione, che aveva lui stesso collezionato 30.000 rotoli, ed aveva sistemato le biblioteche sia di Cicerone, che di Aristotele (trasportata a Roma da Lucio Silla): non è difficile immaginare che il progetto di Cesare fosse impinguato con i fondi librai del Peripato[5]. Di che cosa capitasse al progetto dopo le Idi di Marzo, non abbiamo la minima idea: eppure, anche se durante le proscrizioni la biblioteca personale di Varrone subì certi danni[6], e malgrado il disordine pubblico scatenato, l'impresa giulio-varroniana non fu dimenticata. Dal suo bottino *ex Parthinis* Asinio Pollione iniziò la prima biblioteca "pubblica" di Roma nel 39[7]. La presenza di un busto di Varrone (e solo di lui, tra tutti gli autori viventi, Plin. *NH* 7.115) sembra indicare una continuità voluta. Al progetto di Pollione si può paragonare quello di M. Agrippa, mai realizzato *de tabulis omnibus signisque publicandis, quod fieri satius fuisset quam in villarum exilia pelli*, che forse dovremmo collegare con la sua edilità del 33[8]. Forse usiamo il termine "pubblica" a proposito della biblioteca di Pollione un po' incautamente: perlomeno dopo la morte del benefattore, nel 4 d.C., essa ebbe un tipo di direzione statale; per i libri di Ovidio non c'era più posto (*Tr.* 3.1.71). Non possiamo nemmeno credere ad un accesso totalmente libero: Quintiliano (11.3.4) parla di alcuni *quibus nullus est in bibliothecis locus*, anche se tali *vilissimi* vadano al teatro. Siccome non esiste più una *statio publica* per i suoi libri nelle biblioteche, Ovidio trae la conclusione che *plebeiae manus* maneggeranno i suoi

---

[4] V. la nota di Pelling e Plut. *Ant.* 58.5, R. Pfeiffer, *History of classical scholarship*, 1 (Oxford 1968), 236-7, P.M. Fraser, *Ptolemaic Alexandria* I (Oxford 1972), 335, con la nota, 2, 494, n. 229, L. Canfora, *La biblioteca scomparsa*₂ (Palermo 1987), 148.

[5] E.D. Rawson, *Intellectual life in the late Roman republic* (London 1985), 40-3, Funaioli, *GRF* xv-xvi, D.C. Earl, *ANRW*, 1.2, 852-4, Fehrle (n. 3), 17-8.

[6] Horsfall (n. 3), 125, Gell. 3.10.17.

[7] Platner-Ashby (n. 1), s.v. *Bibliotheca Asinii Pollionis*, Fehrle (n. 3), 58-61, F.W. Shipley, *MAAR* 9 (1931), 19-21.

[8] Plin. *NH* 35.26, con le mie osservazioni, *Prudentia* 20 (1988), 14 con n. 93.

carmina (*Tr.* 3.1.79,82). Propone un paradosso amaro: il poeta non può entrare in biblioteca, per essere letto dalle persone colte; viene letto invece dalla plebe, anch'essa esclusa dalle biblioteche. È un peccato che la vecchia teoria[9] su Cic. *Nat. Deor.* 3.74 come allusione ad una tessera bibliotecaria falsificata non regga! Mi sembra però chiaro che le biblioteche del secondo triumvirato fossero molto più "pubbliche" di quanto non fosse mai stato concepito ad Alessandria[10]. La loro storia possiamo ancora, su alcuni punti, chiarirla. Varrone sopravvisse fino al 27; della sua biblioteca, dei suoi rapporti con Ottaviano, o della sua eventuale influenza sull'aspetto erudito ed intellettuale dei progetti del *princeps*, già in molti casi iniziati durante gli anni precedenti alla battaglia di Azio, non c'è traccia esplicita[11]. Era stato allontanato o proprio silurato. Con T. Pomponio Attico, invece, il giovane Ottaviano scambiava lettere su problemi antiquari[12]; fu pure Attico ad incoraggiarlo a restaurare il sacello di Giove Feretrio sul Campidoglio, a quel punto rovinato e senza tetto[13]. Agrippa si sposò con la figlia di Attico, e specialmente come edile nel 33 dirigeva il programma di Ottaviano per la ristrutturazione della città di Roma: a quel punto il complesso di Apollo Palatino era chiaramente destinato ad essere il suo ornamento focale e principale. L'anno successivo, Attico morì; tra i suoi domestici c'erano *pueri literatissimi, anagnostae optimi et plurimi librarii*; pure i *pedisequi*, di solito rinomati per muscolatura e ebetudine, erano in grado di fare i copisti[14]. Dalle lettere di Cicerone apprendiamo che non mancassero i tecnici di papiro, peraltro essenziali[15]. Qui, volevo suggerire, era pronto il nucleo del personale della nuova biblioteca, già legato, immaginerei, o ad

---

[9] Langie (n. 2), 151.

[10] C. Wendel, *Kleine Schriften* (Köln 1974), 147.

[11] R.M. Ogilvie, comm. a T. Livio 1-5, 6, 701, T.J. Luce *Livy* (Princeton 1977), 160, ed il mio commento a Corn. Nep., *Att.* (Oxford 1989), 105.

[12] Nep. *Att.* 20. 1-2 con le mie note, F.G.B. Millar, *GR* 35 (1988), 51-2.

[13] Nep. *Att.* 20,3, con il mio commento, 106, Platner-Ashby (n. 1), s.v. *Iuppiter Feretrius, aedes.*

[14] Nep. *Att.* 13,3, con le mie note, pp. 88-9; *pedisequi*: v. Catullo 10.14-30.

[15] Fehrle (n. 3), 42-3, A.J. Marshall, *Phoen.* 30 (1976), 257, S.M. Treggiari, *Roman Freedmen during the late Republic* (Oxford 1969), 149, A.H. Byrne, *T. Pomponius Atticus* (Lancaster, Penna. 1920), 27.

Agrippa stesso o proprio ad Ottaviano: una situazione che richiamava quella (da me di recente ricostruita) per cui Agrippa nutriva la flotta di Augusto prima di Azio con i prodotti dei terreni di Attico in Epiro da lui stesso ereditati solo un anno prima[16].

Che cosa poi successe? Come definire la politica bibliotecaria del primo principato?[17] Convenienza, cambiamento, controllo, cesarismo possono servire come quattro termini di riferimento comodi.

Convenienza, dice Miss Rawson (l.c., n. 17). L'*Atrium Libertatis*, il Tempio di Apollo Palatino, la porticus Octaviae, la biblioteca del Tempio di Augusto — ed il numero non finiva di crescere[18]. Era proprio comoda quest'abbondanza? «Penso che troverai le lettere di Sinnio Capitone presso il Tempio della Pace»; «*studiose quaesivimus* il *commentarium de proloquiis* di L. Aelio, e lo leggemmo, una volta trovato, presso il Tempio della Pace»[19]. Cicerone — per tirare delle conclusioni da una massa di testimonianze ripetutamente esaminate — non dové mai fare più di due richieste per rintracciare un libro. «Non troviamo delle lamentele, nei testi superstiti, che un tale libro sia impossibile da rintracciare»[20]. Nigidio non era facile da trovare, dice Gellio (19.14.3); San Girolamo non trovò mai Tertulliano sugli abiti di Aronne[21]. I lettori d'età repubblicana erano alla mercé dei loro amici; quelli d'età imperiale dipendevano dalla benevolenza o dall'efficacia dei bibliotecari statali. Non necessariamente, direi, un passo avanti. Marco Aurelio ammette con Frontone che nella biblioteca della *domus Tiberiana* ci sarebbe stato forse bisogno di una manovra di persuasione intensa, per ottenere un

---

[16] Horsfall, *LCM* 14.4 (1989), 60-2.

[17] Rawson (n. 5), 42, Marshall (n. 15), 261-4, Fehrle (n. 3), 62-5, C.E. Boyd, *Public libraries and literary culture* (Chicago 1915), 57-60, T. Kleberg in *Libri, editori e pubblico nel mondo antico*$_2$ (Roma 1977, Universale Laterza 315), 62-4, G. Cavallo in P. Rossi, *La memoria del sapere* (Roma 1988), 40-1, P. Fedeli in G. Cavallo, *Le biblioteche nel mondo antico e medievale* (Roma 1988), 49-50.

[18] La sequenza cronologica è facile da tracciare, Boyd (n. 17), 3-20, Wendel (n. 10), 176-7. Fedeli (n. 17), 49-51.

[19] Gell. 5.21.9, 16, 8.1-2, Boyd (n. 17), 36.

[20] Rawson (n. 5), 44, Byrne (n. 15), 27-8, Marshall (n. 15), 256-7, R.J. Starr, *CQ* 37 (1987), 217-8.

[21] E. Arns, *La technique du livre d'après Saint Jérome* (Paris 1953), 167-8, *PL* 22.622 = *Ep. ad Fab.* 64.22. Cf. *id.*, *vir. ill.* 38.4, 82, 2, 92, 100.3, 108.

prestito a domicilio; usa il verbo *subagitandus*, e sembra sottintendere l'offerta di una mancia. Marco stesso ha preso in prestito dalla Palatina la copia di un'orazione di Catone Censore[22].

Pollione ed Ottaviano avevano cominciato, se volete, come patroni repubblicani su grande scala, mettendo a disposizione le loro riserve per il bene pubblico (Marshall, n. 15, 261). Nulla tuttavia indica o che cambiasse l'origine sociale dei lettori o che i libri disponibili aumentassero o migliorassero. Dobbiamo sempre tener conto della mano morta della burocrazia imperiale e della malignità innata del bibliotecario statale. Adesso, un romano senza i soldi — e quei soldi erano indispensabili per acquistare una consistente biblioteca privata, come spesso ci attestano le lettere di Cicerone[23] — e senza i rapporti sociali dello stesso Cicerone — che facilitavano prestiti, l'esecuzione di copie, l'accesso ad altre biblioteche private, anche durante l'assenza del proprietario[24] — poteva in teoria godere — sotto l'impero "benevolo" — le ricchezze e le risorse di una biblioteca pubblica. Ma non dimentichiamo le fatiche e le difficoltà (nn. 19, 22) del modesto Gellio, uomo di tante conoscenze dotte, pure importanti, ma non facoltoso o di grande influenza[25]. Dare un nome, una personalità, un'identità a questo "nuovo ceto" di lettori non mi pare compito facile. Esattamente chi viene aiutato dalle nuove biblioteche pubbliche? Autori? Poeti? Eruditi? Gente senza patrono, e senza quattrini? Tali persone — povere ma istruite — cercano piuttosto — o almeno questa mi sembra l'ipotesi più probabile — lavoro come archivisti, bibliotecari, grammatici, insegnanti privati, retori, pure come librai.

---

[22] Front. *Ep.* 4.5.2, Gell. 19.5.10, cfr. *Script.Hist.Aug. Aurel.* 1.7-10. Malgrado P.L. Fedeli, *QUCC* 45 (1984), 165-8 (cfr. (n. 17), 56-8), le testimonianze erano da tempo note agli specialisti: Boyd (n. 17), 59, Langie (n. 2), 153-4, E.H. Clift, *Latin Pseudepigrapha* (Baltimore 1945), 37, E.J. Kenney *CHCL* 2, 24, n. 6 e pure K. Dziatzko, PW 3.1.422.41 (1897!).

[23] Kleberg (n. 17), 69-70, Marshall (n. 15), 254-5, Starr (n. 20), 221, P. Fedeli in M. Vegetti, *Oralità, Scrittura, Spettacolo* (Torino 1983), 93-5, Rawson (n. 5), 42-5, Th. Birt *Kritik u. Hermeneutik nebst Abriss des ant. Buchwesens* (München 1913), 322-5.

[24] Cic. *Fin.* 3.7, *Att.* 4.4.1, *Fam.* 9.4, Fehrle (n. 3), 18-20, Fedeli (n. 17), 37, Rawson (n. 5), 40-2.

[25] L.A. Holford-Strevens, *Aulus Gellius* (London 1988), 60-111.

Se paragoniamo Cicerone impegnato nei suoi lavori scientifici con Aulo Gellio, troviamo che poco, od addirittura nulla sia migliorato. Nella ricerca la fortuna, i soldi, la pazienza, ed i contatti personali rimangono di importanza dominante. I poeti continuavano a raccogliere libri[26]. A Tomi, Ovidio, come era facile da capire, sognava gli scaffali della Palatina (*Tr.* 3.1.59-64, Marshall, n. 20, 255); con sé aveva portato poco. I ricchi continuavano ad ammucchiare collezioni vaste; le cifre tramandate sono qualche volta improbabili (cfr. Kleberg, n. 17, 62-5). Bisognava pure ricopiare i rotoli ogni tanto; altrimenti si disintegravano[27]. L'imperatore[28] almeno aveva gli schiavi, i soldi, ed il potere per superare Varrone, Attico, Lucullo, Cicerone, i grandi collezionisti della tarda repubblica — sempre se aggiungiamo, inoltre, la volontà, la direzione esperta, gli addetti tecnici (e benevoli). L'argomento di Boyd (n. 17, 54-7) che la diversificazione e la molteplicità delle biblioteche imperiali comportava pure una specializzazione utile e comoda non è valido[29]: Aulo Gellio ed i suoi amici sono sempre costretti a mandare i loro schiavi a verificare vari cataloghi[30]. Trovare un libro nella Roma del 189 non era un'impresa più rapida o meno sudata che non nella Roma del 1989. I problemi della ricerca letteraria e storica nel mondo di Cicerone e di Attico sono stati discussi minuziosamente (n. 20); Aulo Gellio, nelle sue "introduzioni", ci offre qualche descrizione elegante ma impressionistica dei suoi metodi[31]. Lo *Scriptor Historiae Augustae* tenta ogni tanto

---

[26] Helvius Cinna, Morel, *FPL*, p. 89, Marshall (n. 15), 255, Cat. 68.31s., 14. 17-20, Or. *Carm.* 1.29.13s., *Serm.* 2.3.11-2, *Epist.* 1.18.109.

[27] Treggiari (n. 15), 149, Cic. *Att.* 4.4a, Fedeli (n. 17), 41-2, Kenney (n. 22), 24-5; il papiro, trattato bene, era molto resistente: N. Lewis, *Papyrus in classical antiquity* (Oxford 1974), 57-60.

[28] Fehrle (n. 3), 81-8, Boyd (n. 17), 41-51, E. de Ruggiero *Diz. Epigr.* I (Roma 1895) s.v. *Bibliotheca*.

[29] P.es. la chiosa a Giov. 1.128 *iurisque peritus Apollo: quia bibliothecam iuris civilis et liberalium studiorum in templo Apollinis Palatini dedicavit Augustus*. Una biblioteca specializzata in giurisprudenza, conclude Boyd; piuttosto, *iuris peritus* perché il *consolium principis* si riuniva lì!

[30] 16.8.2, 19.5.4.

[31] Lo Holford-Strevens non si occupa, purtroppo, dei metodi di ricerca di Gellio (n. 25); l'informazione si trova comodamente presso Boyd (n. 17).

di trarci in ingranno con particolari bibliografici[32]. S. Girolamo, così bene studiato dal Cardinale Arns (n. 21) torna a rivelare qualche volta le vere difficoltà della ricerca seria. Nel corso di 500 anni poco si cambia: proprio una tale staticità mi fa grande impressione. Cicerone chiede a Tirone di compilare un catalogo; sia Quintiliano che Plinio il Giovane parlano di cataloghi[33]. La vita dell'imperatore Tacito vuole abbagliarci con una collocazione precisa per un *senatusconsultum* nella biblioteca Ulpia: una legatura di avorio *in armadio sexto*[34]. Dai metodi di catalogazione rivelati nei papiri e nei *diplomata* militari, viene confermata la verosimiglianza della finzione[35]. La fatica di trovare il volume giusto rimaneva sempre un compito da schiavi: lo studioso-signore poteva restare seduto[36].

Il "controllo" è più importante nella teoria che nella pratica. Sappiamo bene che molti libri "proibiti" (per es. Ovidio) sono nondimeno sopravvissuti. È possibile che in certi casi particolari (per es. i *iuvenilia* di Giulio Cesare, Suet. *Caes.* 56.7) l'*obstat* ufficiale diventasse sistematicamente effettivo. Non sappiamo[37]. Testimonianze numerose ci indicano che il gusto letterario di un imperatore poteva influenzare sia l'acquisto di libri[38] che la scelta di quelli da relegare negli angoli più impolverati dei magazzini. Ma tali testimonianze non ci consentono di interpretare le biblioteche imperiali come strumenti di un Minculpop all'antica. L'aspetto inverso è però di gran lunga più significativo: l'es-

[32] R. Syme, *Emperors and Biography* (Oxford 1971), 216, 218, *Ammianus and the Historia Augusta* (Oxford 1968), 98-9, 160-1, 183.

[33] Cic. *Fam.* 16.20, Quint. 10.1.57, Plin. *Ep.* 3.5.2, Boyd (n. 17), 25s.

[34] *Script. Hist. Aug. Tacitus* 8.1; cfr. n. 32.

[35] H. Peter, *Die geschichtliche Literatur* 1 (Leipzig 1897), 233-5, L. Wenger, *Die Quellen des römischen Rechts* (Wien 1953), 74ss., 390s., W.E.H. Cockle, *JEA* 70 (1984), 106-122, C. Williamson, *Classical Antiquity* 6 (1987), 164, 180, *CIL*, 16. 10, 12, 14, E. Posner, *Archives in the ancient world* (Cambridge Mass. 1972), 148, 162, 204, F. Burkhalter, *Chiron* 20 (1990), 195-7.

[36] Gell. 11.17.1, 13.20.1, Apul. *Apol.* 41, *Script. Hist. Aug. Aurel.* 1.10, Langie (n. 2), 154. Marshall (n. 15), 259, n. 46 esagera l'energia, Earl (n. 5), 854 l'indolenza del ricercatore signorile nel mondo romano.

[37] Kleberg (n. 17), 77, F.H. Cramer, *Journal of the History of Ideas* 6 (1945), 157-96, W. Speyer, *Büchervernichtung und Zensur* (Stuttgart 1981), Fehrle (n. 3), 78-9, Fedeli (n. 23), 84s.

[38] Cfr. Suet. *Calig.* 34, *Tib.* 70, *Script. Hist. Aug. Tacitus* 10.

sere accettato tra le collezioni della Palatina coinvolge, per Orazio, l'equiparazione al livello simbolico con i grandi "classici" greci del passato. Che un posto, formalmente concesso, tra i "classici moderni" della Palatina abbia potuto avere qualche valore come "benedizione" imperiale, o che abbia potuto coinvolgere qualche vantaggio più pratico ed esplicito è almeno possibile[39].

Finalmente, dopo "controllo", "cesarismo"; adopero questa parola per indicare una linea di continuità che collega Alessandria, il progetto di Giulio Cesare e l'esecuzione di quel progetto, con un ritardo di 18 anni, sul Palatino.

È stato detto che due altri edifici della Roma augustea abbiano importanza per i poeti: meritano una breve digressione, che sarà purtroppo infruttuosa. La *porticus Octaviae* è stata costruita da Augusto a nome di sua sorella dopo il 27 a.C.; ella vi aggiunse una biblioteca dopo la morte di Marcello. Nei libri c'è spesso confusione con la *porticus Octavia*, restaurata da Ottaviano nel 33[40]. L'*aedes Herculis Musarum* è stata restaurata dal patrigno di Augusto, L. Marcio Filippo, nel 29, coll'aggiunta di un portico, decorato con un grande ciclo di affreschi di argomento troiano (Plin. *Nat.* 35.144)[41].

Nell'*aedes Herculis* non c'era una biblioteca, ma sono state rivendicate altre somiglianze più o meno convincenti col Museo di Alessandria[42]: (i) conteneva le statue delle Muse (Plin. *Nat.* 35.66), le quali potrebbero suggerire un paragone col "Museion" alessandrino, anche se "aedes Herculis Musarum" non sia *prima facie* l'equivalente latino di "Museion"; (ii) l'*aedes* conteneva un esemplare dei Fasti (Macr. *Sat.* 1.12.16) che ha provocato la costruzione di analogie con le "Chronographiae", pur molto diverse, di Eratostene[43]; (iii) il Museion alessandrino ospitava gare poetiche[44], e nell'*aedes Herculis Musarum* avevano luogo

---

[39] Or. *Epist.* 1.3.17, 2.1.216, 2.2.91 ss. (col commento di C.O. Brink, p. 315), *Ant. Pal.* 7.158.3.

[40] V. Platner-Ashby (n. 1), s.v. *Herculis Musarum, aedes*.

[41] Platner-Ashby (n. 1) s.v. *Herculis Musarum, aedes*.

[42] N. Purcell *PBSR* 51 (1983), 143, Horsfall *BICS* 23 (1976), 84-6.

[43] Vitr. 7 *Praef.* 4, Fraser (n. 4), 1, 316.

[44] Fraser (n. 4), 1, 456-7, id., *Eratosthenes of Cyrene, Proc. Brit. Acad.* 56 (1970), pp. 26-8 dell'estratto.

proagones per determinare quali drammi sarebbero stati eseguiti nel teatro (donde l'allusione Or. *Serm.* 1.10.38)[45]; (iv) non è inconcepibile[46] che il famoso *collegium poetarum* si radunasse lì; certo, il nome del poeta Accio viene collegato sia col tempio che col *collegium*, e in modo simile, *certamina* di letterati vengono attribuiti sia al *collegium* che al tempio[47]. Non ci aiuta, però, paragonare l'austero *syssition* del Museion[48] con i banchetti sontuosi ma rari di un *collegium* romano[49]. Nel caso del tempio fondato da M. Fulvio Nobiliore non rimangono testimonianze di una biblioteca, di strutture di ricerca, della presenza stipendiata di eruditi, di attività scientifiche. Meglio non insistere troppo sulle "analogie alessandrine"; certamente, non siamo autorizzati a concludere che l'*aedes* fosse un luogo di riunione per il *collegium* sotto Augusto. L'iscrizione, di età augustea, che commemora il liberto Surus, *magister scribarum poetarum*, continua a provocare discussioni e ricostruzioni. L'amico Panciera[50] ha probabilmente ragione quando dimostra che il teatro di pietra menzionato nel testo sia quello di Cn. Pompeo; certamente l'ha quando osserva che l'iscrizione menziona sia poeti che un teatro. Suggerisce perciò l'integrazione [*ludos*] *fecit in theatro lapidio*: è una proposta molto provocatoria, ma non riesce a riportare il vecchio *collegium poetarum* di Accio al centro dei nostri studi sulla poesia augustea[51]. J.K. Newman pretende che il vecchio *collegium* esistesse sotto Augusto, si riunisse come sempre, e precisamente nel tempio di Apollo Palatino: ma si tratta, se guardiamo le testimonianze, di una bella fantasia, allettante ma fumosa[52]. Sembra

---

[45] Horsfall (n. 42), 83-4, K. Quinn *ANRW* 2.30.1, 173-6.

[46] Quinn (n. 45), 147, n. 236, e Rawson (n. 5), 39, esprimono dubbi appropriati.

[47] Horsfall (n. 42), 82, Accio e l'*aedes*: Plin. *Nat.* 34.19; ed il *collegium*: Val. Max. 3.7.11. *Certamina* e l'*aedes*, Or. *Serm.* 1.10.38 con Horsfall (n. 42), 83-4; ed il *collegium*: Or. *loc. cit.*, Val Max. *loc. cit.*

[48] Strab. 17.1.8, Fraser (n. 4), 1, 315-6.

[49] R. MacMullen, *Roman social relations* (New Haven 1974), 80.

[50] S. Panciera, *Bull. Comm. Arch. Roma* 91 (1986), 38-9.

[51] Mi trovo molto d'accordo con le osservazioni di K. Quinn, *loc. cit.* (n. 45); né lui, né io, né Brink (*ad loc.*) troviamo un riferimento al *collegium* in Or. *Epist.* 2.2.91-101.

[52] J.K. Newman, *Augustus and the new poetry* (Coll. Lat. 88, 1967), 38, cfr. Quinn (n. 45), 146.

però probabile che il luogo fosse atto alle *recitationes*[53]: l'Apollo Palatino era un grande complesso di edifici, ove da vecchio Augusto riuniva le sedute del senato *decuriasque iudicum recognovit*[54]. A quell'epoca, come adesso, le biblioteche di Roma funzionavano da centri sociali. Gellio ci attesta il costume delle chiacchierate dotte nelle sale di consultazione della città[55]! Ovidio, in esilio, parla del *sodalicium* e del *convictus* dei poeti (*Tr.* 4.10.46, 48): certamente alcuni *equites* toccati dalle Muse, depauperati durante le guerre civili ma ora impinguendosi meglio sotto il nuovo regime, saranno stati naturalmente disposti, immaginerei, a radunarsi. Questo non è (così, con ragione, Quinn (n. 45), 175) il contesto sociale degli *apparitores*, così brillantemente ricostruito dall'amico Nicholas Purcell (n. 42, 125-73). Quindici anni fa non riuscii bene a chiarire l'identità dei poeti dell'iscrizione di Surus (n. 42, 90-1); meglio ammettere di non poter fare meglio tuttora. Se non altro P. Cugusi ha adesso raccolto una quantità sorprendente di epitaffi di poeti (o poetastri): mi sembra perciò meno difficile concepirli radunati con gli *scribae* in un'unico *collegium* decoroso[56]. Ma la fantasia che i vati augustei fossero "istituzionalizzati" nelle sale di consultazione sul Palatino, per poter poi discutere a pranzo le loro difficoltà coll'interpretazione dei chiosatori di Licofrone è meglio scartarla, una volta per sempre!

La *vita* di Svetonio-Donato sostiene — e mi sembra piuttosto probabile — che Virgilio non amasse la città di Roma (11). Il poeta, adulto e ben stabilito non aveva più bisogno, per mancanza o di mezzi privati o di amici potenti (cfr. *Vita* Svet. Don. 13) di lavorare in una biblioteca pubblica. Esaminiamo quindi le testimonianze per la biblioteca privata di Virgilio e poi per quegli eruditi greci, adesso quasi dimenticati, che circondavano ogni tanto il poeta.

---

[53] Or. *Epist.* 2.2.91-2, con Horsfall (n. 42), 83-4, con n. 43, Juv. 7.37, con la nota di Mayor, Plin. *Ep.* 1.13,3, Quinn (n. 45), 148-9. Lugli (n. 1), 65 e Newman (n. 52), 41 non offrono discussioni affidabili.

[54] Svet. *Aug.* 29, cfr. Tac. *Ann.* 2.37.

[55] Boyd (n. 17), 60, Gell. 3.20.1, 11.17.1, 16.8.2.

[56] P. Cugusi, *Aspetti letterari dei "Carmina Latina Epigraphica"* (Bologna 1985), 91-164; v. la mia recensione, *JRS* 77 (1987), 220, ed i dubbi espressi da L. Gamberale, *RFil* 116 (1988), 492-4.

Il problema della biblioteca di Virgilio è molto delicato[57]: nella Donatus-*vita* ampliata[58] — leggiamo *eius bibliotheca non minus aliis doctis patebat quam sibi*. L'elenco degli "amici" di Virgilio include il nome di Cornelio Gallo, in Egitto già dal 30 e morto nel 26 (Bayer (n. 58), 747)! La biblioteca "aperta agli amici" è un luogo comune letterario, che Plutarco adopera a proposito di L. Lucullo, del quale Cicerone continua a frequentare la biblioteca pure anni dopo la morte del collezionista[59]! Il luogo comune ha una sua lunga storia: Cosma Scolastico ha più libri della biblioteca di Alessandria e li dà volentieri in prestito τοῖc θέλουcι[60]. Isidoro di Pelusio dice che l'occultatore di libri sia peggiore di colui che in tempo di carestia occulta il grano[61]. Certo, come abbiamo visto, la regola dei bibliotecari nell'Atene di Traiano, βύβλιον οὐκ ἐξενεχθήcεται, ἐπεὶ ὠμόcαμεν[62] non era in generale osservata nel mondo antico. È possibile che il poeta fosse generoso nei prestiti dei suoi libri: ma né la fonte né la forma dell'aneddoto mi ispirano credibilità. Nel paragrafo 34 della *Vita* di Svetonio-Donato, si legge il nome di Eros, *librarium ac libertum eius*. La parola *librarius* significa semplicemente copista o scrivano ed il nome Eros veniva spesso usato per gli schiavi greci educati; la storia raccontata dal biografo a proposito di Eros contribuisce molto a diminuire in noi la confidenza e l'interesse[63].

Dai libri di Virgilio — e ricordiamoci che aveva sia i soldi che gli amici per raccogliere una bellissima collezione — passiamo ad un altro capitolo, piccolo e trascurato ma molto significativo, della storia letteraria augustea. Parlo di quegli eruditi greci che, se non esattamente eredi del ruolo di Partenio — il quale spiegava la letteratura greca al

---

[57] V. n. 26: i poeti stessi parlano spesso delle loro biblioteche. Nelle polemiche sulla vita virgiliana di Svet.-Don. preferisco non entrare!

[58] G. Brugnoli, *EV* s.v. *Donato, Elio* (2.126), *Vitae Vergilianae* ed. C.G. Hardie, iv-v; v. però i dubbi di K. Bayer in Vergil, *Landleben* (Würzburg 1970), 747: egli sostiene la presenza di alcuni elementi tardo-antichi nel testo, in sé umanistico.

[59] Plut. *Luc.* 42, Cic. *Fin.* 3.7, Marshall (n. 15), 257.

[60] Cap. 172 del *Pratum Spirituale* di Giovanni Mosco: *PG* 87.3, 3040C.

[61] *Epist.* 399 a Candido, *PG* 78.405C.

[62] V. *Hesperia* 5 (1936), 41-2: «nessun libro andrà rimosso, perché l'abbiamo giurato»; cfr. Giovanni Cassiano, *Conlatio* 1.6.2 = *CSEL* 13 (1886), 12.14.

[63] M. Coccia, *EV* s.v. *Erote*, PW s.v. *Eros*, n° 5, n° 7, Treggiari (n. 15), 253.

giovane Virgilio[64] e predigeriva la mitologia per Cornelio Gallo[65] —
potevano almeno, da esperti, soccorrere alle difficoltà vere e grandi che
il linguaggio poetico greco poteva presentare ad un pubblico di letterati
augustei, affascinati ma perplessi. Per questi eruditi, non sempre di
prim'ordine, il libro di Bowersock non ci aiuta; il vecchio elenco di
Hillscher non è completamente affidabile[66]; alla fine mi son rivolto
all'*index locorum* della *Suda* nell'edizione di Adler, s.v. *Roma*[67].

Il giovane Virgilio avrebbe potuto conoscere Filosseno, M. Pomponio Dioniso, Asclepiade "di Mirlea" e Pollione di Tralle[68], il Virgilio
anziano Seleuco l'omerista[69]. Non possiamo datare precisamente né possiamo collegare col poeta sulla base di un interesse comune Tolemeo di
Ascalona, Tirannione il Giovane, ed Abrone, allievo di Trifone[70]. Per la
tarda repubblica la cornice e la struttura generale di una storia intellettuale di Roma sono tracciabili grazie soprattutto alle opere di Cicerone[71]; per il primo impero, invece, sono evanescenti od inesistenti. Non
siamo normalmente in grado di stabilire né gruppi ed attività intellettuali, né punti focali di interesse o di ricerca. Nondimeno mi sembra
poter suggerire due punti di contatto tra Virgilio e questi *Graeculi* un
po' impolverati e nebulosi.

[64]   Macr. 5.17.18, cfr. Horsfall, *EMC* 23 (1979), 80, W. Clausen, *Virgil's Aeneid and
the Traditions of Hellenistic Poetry* (Berkeley 1987), 5.

[65]   Partenio, pref., F. Zimmermann, *Herm.* 69 (1934), 179ss.

[66]   G.W. Bowersock, *Augustus and the Greek world* (Oxford 1965); A. Hillscher,
Hominum litteratorum Graecorum... in urbe Roma... historia critica, *Jhb. kl. Phil.* Suppl.
18 (1892).

[67]   Suidae *Lexicon* 5 (Leipzig 1938), 174.

[68]   Filosseno: Funaioli, *GRF* 443s., Schmidt-Stählin 2.1.431; M. Pomponio Dioniso:
Treggiari (n. 15), 119-21, Funaioli, *GRF* xvii-xix (v. soprattutto Cic. *Att.* 4.4.2);
Asclepiade: Rawson (n. 5), 135, n. 22, W.J. Slater, *GRBS* 13 (1972), 331, Schmidt-
Stählin 2.1.430, Susemihl 2, 15-7; Pollione: Susemihl, 1.831, n. 8, Schmidt-Stählin,
2.1.399, Rawson (n. 5), 136.

[69]   Seleuco: Susemihl, 2,26-7, Schmid-Stählin, 2.1, 432, *FHG* 3, 500, Suet. *Tib.* 56.

[70]   Tolemeo di Ascalone: Susemihl 2, 156, Schmidt-Stählin 2.1, 438; Tirannione il
Giovane, Susemihl 2, 182-3, Schmidt-Stählin 2.1, 429; Abrone: Susemihl 2,213,
Schmidt-Stählin 2.1, 435.

[71]   Elizabeth Rawson, una carissima nostra amica, parlava qualche volta di una conti-
nuazione augustea della sua magistrale *Intellectual Life* (n. 5); *dis aliter visum*: morì a 54
anni a Pechino.

(i) Eracleone di Tiloti insegnava a Roma all'epoca giusta ed era uno specialista omerico attivo[72]; una gran parte della lunga nota cosmologica dello ps.-Probo a *Buc.* 6.31, rispecchia secondo Diels, il lavoro di Eracleone[73]: se qualcuno volesse pensare ad un erudito in grado di suscitare o di arricchire gli interessi di Virgilio nel campo della cosmologia mitologica[74], quest'egiziano sarebbe almeno una possibilità attraente[75]. (ii) Ci sono poi le figure di Aristonico di Alessandria e di suo figlio (o padre!) Tolemeo[76]: questo Tolemeo scrisse cinquanta volumi su Omero, scrisse anche opere sulle Muse e sulle Nereidi; Aristonico, attivo nella Roma di Augusto, compose, tra l'altro, uno studio περὶ τῆc Μενελάου πλάνηc[77]. *Atrides Protei Menelaus adusque columnas/exsulat*, scrive Virgilio (11.262-3). Al di là della presenza tradizionale di Menelao e di Proteo in Egitto, mi incuriosiscono le colonne: sono da paragonare con le colonne d'Ercole, da trovare (secondo il geografo!) in Gallia, in Germania, in Spagna, od in Turchia[78]. Inoltre, in Egitto, delle colonne siffatte sarebbero forse da collegare, nella fantasia poetica, col Faro stesso[79]. Che un greco egiziano, che lavorava a Roma ai tempi di Virgilio e si specializzava proprio nei viaggi di Menelao potesse aver suggerito la ricercatezza erudita delle colonne al poeta mi appare idea più che allettante.

Con l'attuale, lamentabile mancanza di adeguati ed aggiornati commenti sull'*Eneide*, ricostruire la biblioteca di Virgilio dagli echi nell'*Eneide* sarebbe impresa immane, anzi proprio disperata. Offrirò qualche tentativo e chiarimento di metodo. Mi concentrerò per ora sull'erudi-

---

[72] Eracleone di Tiloti: Susemihl, 2, 20-1, Schmidt-Stählin, 2.1, 438.

[73] H. Diels, *Doxographi Graeci* (Berlin 1879), 90-1; Serv. ed. Thilo-Hagen, (3.2.334.29).

[74] P. Hardie, *PLLS* 5 (1985), 85-97; A. Wlosok, *ibid.* 75-84, cfr. *ead. Filologia e forme letterarie* 2 (Urbino 1987), 517-27.

[75] Cfr. *Buc.* 6.31-42, *En.* 1.742-6.

[76] Susemihl 2, 214-5 con n. 386 Schmid-Stählin 2.1, 438, A. Dihle, PW Suppl. 9, 1306.

[77] Strab. 1.2.31.

[78] Gallia: Ps. Scymn. 188ss, cfr. E. Norden, *Germanische Urgeschichte* (rist. Stuttgart 1959), 471; Germania: Tac. *Germ.* 34, Norden 470-1; Spagna: Erodoto 4.42, ecc., TLL s.v. *columna* 1741.22ss; Turchia: seguaci di Sall. *Hist.* 3: Norden, 470-1.

[79] Call. fr. 228.39Pf., Posidippo, *Hellenistic Epigrams* ed. A.S.F. Gow e D.L. Page, 3100ss., H. Herter, PW s.v. *Proteus* 944.45ss.

zione mitologica nell'*Eneide,* un campo non molto studiato (la voce *Mitologici, Temi* nell'*EV* è gravemente inadeguata) ma molto suggestivo, ed userò soprattutto i piccoli dettagli mitografici per chiarire alcuni aspetti dell'attività del poeta in biblioteca. Insistiamo: quando componeva l'*Eneide,* Virgilio aveva lo "status" per chiedere copie di tutto ciò che voleva dai bibliotecari di Alessandria o di Pergamo, senza meno attraverso i corrieri ufficiali più rapidi, anche se ci resta il dubbio sulla capacità persino di quei vasti e vecchi magazzini di rimandare al poeta vorace un testo (per es.) di tutto il ciclo epico (v. sotto)! Il problema non è circoscritto agli autori letti dal poeta, perché in molti casi è necessario tener conto anche dei commenti alessandrini. Sempre più sicuro mi appare infatti, malgrado i dubbi espressi dieci anni fa da Nigel Wilson e da Christian Kopff[80], in base al libro di Schlunk ed agli studi di (per es.) Thomas, Cairns ed Antonie Wlosok[81], che il poeta abbia con assiduità consultato i commenti antichi, non solo omerici (sebbene non sempre nella forma esatta nella quale noi possediamo quelle chiose) ma anche su altri poeti. Se guardiamo attentamente (per es.) *En.* 3.525-6 *tum pater Aeneas magnum cratera corona/induit impleuitque mero,* vedremo che il poeta giuoca sulle due spiegazioni dell'espressione omerica κρητῆρας ἐπεστέψαντο πότοιο[82], ed offre una sfida elegantissima ed astrusa ai suoi lettori più informati. Nel caso dei testi ellenistici più difficili, sia Virgilio che i suoi lettori più colti avevano però bisogno — e lo sapevano bene (v. il caso di Partenio, sia con Virgilio che con Corn. Gallo, p. 39)[83] — non solo di commenti ma di commentatori vivi e presenti. La vecchia caccia agli "errori" (veri e propri) di Virgilio col greco non è, se esaminiamo con attenzione i passi dibattuti, che tanto inchiostro sprecato[84].

[80] N.G. Wilson, *Gnom.* 48 (1976), 716-7, E.C. Kopff: *CJ* 71 (1976), 279-80.

[81] R.R. Schlunk, *The Homeric scholia and the Aeneid* (Ann Arbor 1974), F. Cairns, *Virgil's Augustan Epic* (Cambridge 1989), 181, Wlosok (n. 74, 1985), 79, *ead.* (n. 74, 1987), 523, Rawson (n. 5), 51, 55, Horsfall (n. 64), 82-4.

[82] Thomas a *G.*2.528, M. Mühmelt, *Griech. Grammatik i.d. Vergilerklärung* (Zetemata, 37, München 1965), 49.

[83] V. Zimmermann (n. 65), *EV* s.v. Partenio (Scarcia).

[84] V. l'articolo, pieno di buon senso, di H.R. Fairclough, "Virgil's knowledge of Greek", *CPh* 25 (1930), 37-46.

L'immagine di un Virgilio onnisciente ed *amantissimus vetustatis*, proposta dagli antichi commentatori[85] è nondimeno piuttosto inesatta e fuorviante. È infinitamente più semplice, più onesto, e perfino più rigoroso ammettere che in certi campi il poeta o sonnecchi o non abbia voglia di approfondire le sue conoscenze; ne segnalo alcuni[86]:

(i) L'ornitologia: la folaga marina è uccello irreale, ridicolo, inesistente (*G.* 1.363)[87].

(ii) La guerra d'assedio[88], ed alcuni particolari dell'armatura (il corsaletto triplo d'oro, *En.* 7.639-40, inefficace e pesantissimo!).

(iii) Certi aspetti pure nel campo del rituale religioso romano[89].

(iv) Numerosi consigli offerti al lettore delle *Georgiche* sono almeno impraticabili od imprudenti[90].

(v) L'arte della tessitura: *arguto coniunx percurrit pectine telas*, *G.* 1.294, ed *arguto tenuis percurrens pectine telas*, *En.* 7.14, «attraversa la trama sottile coll'arguto pettine». Come può essere "arguto" un pettine? Non pensiamo ad evitare il problema storpiando — come fanno molti esegeti dei due passi — il senso di *pecten*! Omero parla di ἱστὸν ἐποιχομένη χρυσείῃ κερκίδ' ὕφαινεν (*Od.* 5.62) «tesseva, attraversando la trama con una bacchetta d'oro». Tra i tempi di Omero e quelli augustei c'era stato un cambiamento tecnico, dal telaio ad ordito appesantito (che richiedeva una bacchetta) si era passati al telaio a due

---

[85] Quint. 1.7.18, Macr. *Somn.* 1.6.44, 15, 12, 2.8.1, *Sat.* 1.16.12, 24.8, 3.1.5, 2.10, 5.2.2, Serv. Dan. *ad Buc.* 8.68, Serv. Dan. *ad Aen.* 1.44, 398, 632, 12.136, Serv. *Aen.* 6, *praef.*, Tib. Don. *praef.* p. 5.4ss., M. Squillante Saccone, *Le Interpretationes Virgilianae di Tib. Claudio Donato* (Napoli 1985), 19-21).

[86] Non per la prima volta: v. *GR* 32 (1985), 197-208 (geografia), *CR* 37 (1987), 179 (religione).

[87] V. (*ex. grat.*) il commento di Thomas *ad loc.*

[88] F.H. Sandbach, *PVS* 5 (1965-6), 33.

[89] V. n. 86 (1987), p. 138, *infra*; cfr. le obiezioni già mosse contro certi dettagli dei riti religiosi in Virgilio dai critici antichi: *Vergili Opera* ed. J. Conington₄, 1, xlix, H. Georgii, *Die antike Aeneiskritik* (repr. Hildesheim 1971), 567.

[90] K.D. White, *Roman Farming* (London 1970), 39-41, *PVS* 7 (1967/8) 11-22; l'articolo di M.S. Spurr, *GR* 33 (1986), 164-87, che rivendica un'estrema esattezza tecnica nelle *Georgiche*, sembra confondere il carattere letterario e lo scopo del carme. V. *EV* s.v. *Agricoltura* (White e Spurr!).

travi (che richiedeva un pettine)[91]. Inconsapevolmente il poeta (e gli editori) cadono in una confusione tecnologica: parlo da discendente di proprietari di mulini a tela, con qualche interesse specializzato!

(vi) L'etruscologia, malgrado il nome e le origini del poeta, tra gli insediamenti settentrionali degli Etruschi[92].

Finalmente, la geografia: non parlo della voluta indeterminatezza di certi aspetti topografici della Campagna romana[93], né di alcuni dettagli non molto esatti nel catalogo ed altrove nel settimo libro, né degli anacronismi geografici alla fine del racconto di Enea nel terzo libro[94], talmente problematici per i commentatori antichi. Vorrei insistere soprattutto sui versi 8.720-2:

> ipse sedens niueo candentis limine Phoebi
> dona recognoscit populorum aptatque superbis
> postibus

Sono qui da mettere in rilievo due grosse difficoltà[95]; ai tempi del trionfo aziaco, il tempio di Apollo Palatino non era ancora finito e, secondo, la processione trionfale si dirigeva verso il Campidoglio, non il Palatino. È ovvio, però, il motivo del cambiamento: l'importanza dell'Apollo Palatino nell'ideologia augustea; forse un tale motivo di rispetto verso il Palatino, la collina del *princeps*, avrà suggerito a Virgilio di trasferire la spelonca del mostro Caco dalle pendici occidentali del Palatino, dov'era tradizionalmente ubicata, all'Aventino (8.190)[96].

Dovremmo pensare ad un Virgilio meno pignolo, meno preciso di come veniva concepito dai critici antichi, ad un Virgilio capace di adoperare anacronismi, incoerenze di dettaglio, imprecisioni religiose e topo-

---

[91] J.P. Wild, *Philol.* 111 (1967), 154-5, F.W. Walbank, *CQ* 34 (1940), 96, M. Hoffmann, *The Warp-weighted Loom* (*Studia Norvegica* 14, 1964), 321ss.

[92] Etruscologia: v. la mia discussione, *BICS* Suppl. 52 (1987), 100-1.

[93] *EV* s.v. *Laurentes*, 142, n. 86 (1985), 202-3, F. Castagnoli *CRAI* 1983, 202-15; a 7.740, *maliferae Abellae* riguarda non i frutteti della zona ma il giuoco etimologico; la descrizione di Ampsanctus (7.563-70) è notevolmente inesatta.

[94] *EV* s.v. *Anacronismi*, Rehm cap. 1, n. 3, 85.

[95] Castagnoli (n. 93), 213-4, *EV* s.v. *Apollo Palatino*.

[96] Castagnoli (n. 93), 213, id., *EV* s.v. *Roma*, 546; la discussione di J.P. Small, *Cacus and Marsyas* (Princeton 1982) è inaffidabile. Caco sull'Aventino: v. *En.* 8.231.

grafiche, innovazioni e variazioni nei miti, nei nomi, e nelle genealogie, in quanto mezzi che gli consentono di ottemperare ai propri, deliberati intenti di indeterminatezza, di inesattezza, onde creare un'impressione continuamente sfumata — a parte, certo, qualche errore banale, qualche materia conosciuta non proprio bene.

Arriviamo finalmente ad una breve analisi dell'erudizione mitologica del poeta, tenendo sempre conto delle deficienze nelle nostre informazioni e delle consistenti perdite dei testi greci (per es. il ciclo epico, molte trilogie dei tragici, la maggior parte di Callimaco) e romani (per es. Livio Andronico, il *Bell. Poen.* di Nevio, la tragedia romana, la maggior parte degli *Annales* di Ennio, i poeti neoterici a parte Catullo e soprattutto (forse) le ricerche antiquarie di M. Terenzio Varrone) tra i tempi di Augusto e quelli di Poggio Bracciolini. Non voglio dire che non possediamo alcuni brani per fortuna conservati[97], o che non abbiamo molti mezzi di ricerca (lessici e dizionari soprattutto) non disponibili all'epoca augustea, o che non possiamo indovinare o ricostruire con acume, con intelligenza ispirata o con immaginazione disciplinata ed informata qualche fonte perduta. Alcune fonti, del resto, sono semplicemente trascurate, come Erodoto per il terzo libro, e come, in generale Pindaro, negletto e minimizzato tra i testi studiati con attenzione da Virgilio[98]. Riassumo a questo punto le conclusioni principali di alcuni miei studi, estesi e non ancora stampati, sull'erudizione mitologica nell'*Eneide*:

[97] Ciclo epico, v. n. 106; tragedia greca, v. A. König, *Die Aeneis und die griechische Tragödie* (diss. Berlin 1970; lavoro ottimo); poesia ellenistica: *EV* s.v. Callimaco (Bornmann), W.W. Briggs, *ANRW* 2.31.2, 948-84, R. Thomas *HSCP* 90 (1986), 171-98; poesia latina arcaica: S. Stabryla, *Latin tragedy in Virgil's poetry* (Wroclaw 1970), M. Wigodsky, *Vergil and early Latin poetry* (*Hermes* Einzelschr. 24, 1972), Ennio: v. l'ed. di O. Skutsch, 13-4; G. D'Anna *Atti del convegno virgiliano di Brindisi* (Perugia 1983), 323-43; neoterici: W. Clausen, *Virgil's Aeneid and the Tradition of Hellenistic Poetry* (Berkeley 1987), *passim*; Varrone: v. *EV* s.v. *Varrone e l'Eneide* (Horsfall).

[98] Erodoto: *Athen.* 66 (1988), 31, n. 6, v. *Vergilius* 35 (1989), 9 *et passim*, e n. 108; Pindaro: v.n. 111 e Cap. 8, *passim*; inoltre *EV* s.v. *Pindaro* (Setaioli). I problemi di 3.330-2 sono forse da risolvere coll'ipotesi di un'allusione a Pind. *Paian* 6, 112ss: v. E. Fraenkel, *Horace* (Oxford 1957), 401 e M. Paschalis, *Philol.* 130 (1986), 52-3.

(i) Mi sembra piuttosto probabile che Virgilio, come Cornelio Gallo (p. 39) — ma forse in contrasto con Properzio, di cui la mitologia, come osserva Boucher è in generale piuttosto convenzionale[99] — adoperasse sommari e manuali, anche se dovremmo stare attenti a non attribuire al poeta — come vedremo tra poco — l'organizzazione rigidamente schematica dei generi poetici in rapporto con le varie Muse o le punizioni prefissate con rigore manualistico dei diversi peccatori nel Tartaro[100]: l'ordine e la sistematicità entrarono nella mitologia solo in epoca postvirgiliana. Sopravvivono molti manuali e sinossi, di qualità e di contenuto estremamente vario[101]. L'elenco di coloro *quos durus amor crudeli tabe peredit* (6.442) ben poco si armonizza con gli *Erotika Pathemata* di Partenio, ma sei degli otto nomi di Virgilio si ritrovano nei capitoli 241-3 di "Igino"[102]. L'osservazione che diciotto nomi di persona virgiliani si ritrovano in Nonno[103] è interessante, ma le conclusioni sono meno chiare: è possibile che Virgilio e Nonno abbiano usato la stessa fonte ellenistica per la storia di Dioniso (così, Saunders, n. 103); secondo la *communis opinio* di studiosi notevoli nel campo, è molto improbabile che Nonno (in contrasto con altri poeti egizi; cfr. p. 96 n. 33 per Trifiodoro) abbia letto Virgilio[104]; sostiene però il contrario la voce *Nonno* dell'*EV* (D'Ippolito); un'altra possibilità è che Virgilio abbia desunto i nomi da un sommario di qualche racconto più antico (e perso) delle imprese di Dioniso — penserei all'*Europia* di Eumelo[105]. Dovremmo inoltre porci cautamente la domanda se Virgilio abbia cono-

---

[99] J.-P. Boucher, *Etudes sur Properce* (Paris 1965), 261.

[100] Le Muse: *EV* s.v. (Suerbaum), 634, comm. di R.G.M. Nisbet e M. Hubbard ad Or. *Carm.* 1.24.3; punizioni: v.n. 112.

[101] U. von Wilamowitz-Moellendorff *Kl. Schr.* 5.1 (Berlin 1937), 497-501, M. Galdi, *L'epitome nella letteratura latina* (Napoli 1922), I. Opelt, *RAC* s.v. *Epitome*, A. Harder, *Pap. Oxy.* 52.3648, Horsfall, *JHS* 99 (1979), 26-48, *ibid.*, 103 (1983), 144-6.

[102] E. Norden, *Aen.* 6$_4$, pp. 250-1.

[103] C. Saunders, *TAPA* 71 (1940), 541-2.

[104] V. F. Vian, ed. Nonno (Budé) 1, xlvi-xlvii, ed. Quinto di Smirne (Budé) 1, xxxiv, A.D.E. Cameron, *Claudian* (Oxford 1970), 20, R. Keydell, *PW* s.v. *Nonnos* 906.47ss., B. Baldwin, *Studies in Late Roman and Byzantine History, Language and Literature* (Amsterdam 1984), 149, 445.

[105] *Epicorum graecorum fragmenta*, ed. M. Davies, 102, *Poetae epici graeci* ed. A. Bernabé, 1.112-3, G. Huxley, *Greek epic poetry* (London 1969), 75.

sciuto il ciclo epico in prima persona o solo attraverso tragedie, sinossi, opere d'arte ed adattamenti[106]. Malgrado lo scetticismo di Wilamowitz, mi sembra che ci siano testimonianze sufficienti per credere che Pausania abbia potuto leggere almeno certi brani del ciclo nella forma originale (ca. 170 d.C.). Quando, però, Pausania dice che un certo nome *non* si trova nel ciclo, non escludo intenda dire che non l'abbia trovato nelle sinossi a disposizione sua[107]. Nel caso di Virgilio, le conclusioni sono meno chiare. All'inizio dell'impero romano, "falsi" ciclici — testi, cioè, od informazioni inventate — erano piuttosto comuni[108], e mi sembra che sarebbero stati decisamente più rari se fosse stata facile la verifica. L'articolo rinomato di Eduard Fraenkel in *Philologus* del '32[109] dimostra la conoscenza virgiliana non dell'*Etiopide* bensì proprio di Pindaro[110]. Forse l'esempio mio preferito delle lettere pindariche di Virgilio è quello di *En.* 1.720, *matris Acidaliae* (a proposito di Venere). Questa sorgente poco nota della Beozia viene quasi inevitabilmente desunta da Pindaro fr. 244Sn.[111]. (Cfr. n. 110).

(ii) L'attribuzione di una mitologia sistematica e strettamente manualistica al poeta merita adesso una protesta. Valga qui citare il caso significativo[112] di *En.* 6.601 *quid memorem Lapithas, Ixiona Pirithoumque*. Ricordiamo che Issione tentò di violentare Giunone, che Piritoo,

---

[106] E.C. Kopff, *ANRW* 2.31.2, 919-47,. *Act. Inst. Ath. Regni Sueciae* 4° 30 (1983), 57-62, Horsfall, *JHS* 99 (1979), 46s., *Athen.* 66 (1988), 46.

[107] U. von Wilamowitz-Moellendorff, *Homerische Untersuchungen* (Berlin 1884), 328ss., T.W. Allen, *CQ.* 2 (1908), 64-70, C. Habicht, *Pausanias' guide to Greece* (Berkeley 1985), 143, F. Vian, *Recherches sur... Quintus de Smyrne* (Paris 1959), 99-102, Kopff *ANRW* (n. 106), 921.

[108] W. MacLeod *TAPA* 115 (1985), 153-65, Horsfall (n. 101, 1979), cfr. Davies (n. 105), 156-62.

[109] E. Fraenkel *Philol.* 87 (1932), 244 = *Kl. Beitr.* (Roma 1964), 2.175.

[110] Cfr. n. 98.

[111] Sembravano mancare altri casi: *Wörterb. der griech. Eigennamen* (W. Pape, G.E. Benseler), 1 (Braunschweig 1863-70), PW s.v. (Hirschfeld); v. però Menofilo di Damasco (non databile), *Suppl. Hell.* (ed. H. Lloyd-Jones, P.J. Parsons), 558.14-5 (con le osservazioni di J.J. O'Hara, *HSCP* 93 (1990), 335-7). La voce nell'*EV* è inadeguata. L'ortografia del nome è poi stata discussa (ringrazio l'amico Adrian Hollis di questa informazione) nella "scuola" di Callimaco (fr. 751 Pf.). Poco convincenti le altre osservazioni di O'Hara (sopra).

[112] *En.* ed. J. Perret (Budé) 2, pp. 173-6, id. *Rev. Phil.* 58 (1984), 19-33.

con Teseo, cercò di riportare Proserpina dagli Inferi: nelle versioni tradizionali, o convenzionali, Issione fu legata in perpetuo ad una ruota, mentre Piritoo fu semplicemente imprigionato. Ma Virgilio continua *quos* (o *quo*; entrambe le lezioni sono antiche[113]) *super atra silex iam iam lapsura cadentique / imminet adsimilis: lucent genialibus altis / aurea fulcra toris*. La roccia che sta per cadere sul peccatore (o sui) ed il banchetto, il cui godimento sempre sfugge, sono punizioni connesse altrove non con Piritoo ed Issione ma con Tantalo[114]. Come liberarci dalle difficoltà? Dobbiamo pure tener conto del passo in cui Stazio (*Theb.* 1.712ss.) attribuisce la punizione del banchetto mancato a Flegia (del quale Virgilio non parla che a v. 618), e del passo in cui Valerio Flacco (2.193ss.) attribuisce il banchetto mancato come punizione sia a Flegia che a Teseo. Molti pensano ad una serie di spostamenti nel testo di Virgilio, più o meno complicata ed a varie tappe, nella quale i testi di Stazio e di Valerio non indicano che un punto intermedio nello sviluppo del caos nei manoscritti virgiliani[115]. Preferisco pensare ad una soluzione infinitamente più semplice: come nel caso delle Muse (p. 45, n. 100), sarebbe facile ipotizzare che le punizioni dei grandi peccatori non siano arrivate ad una distribuzione "fissa" ancora alla fine del primo secolo a.C.

(iii) L'analisi delle fonti di Virgilio non si concentra sempre sui testi più fruttuosi: il ciclo epico non ci porterà mai a conclusioni definitive, mentre Pindaro (pp. 45, 47) rimane un campo quasi inesplorato. L'ottima tesi di dottorato di A. König[116] stabilisce che, in confronto con Euripide, Eschilo e Sofocle sono di importanza secondaria. L'uso delle *Origines* di Catone non si può mai formalmente provare[117] (in grande contrasto con Varrone), anche se l'influenza del Censore non è in sé né improbabile, né da escludere. Mentre stavo studiando l'uso del quarto libro di Erodoto nel terzo dell'*Eneide*, sia Courtney che Harrison propo-

---

[113] *Quo*: tramandato solo in R, tra i manoscritti antichi; *quos*: MPF$_1$.

[114] Om. *Odiss.* 11.582, Tibullo 1.3.77s. con la nota di K.F. Smith, Lucr. 3.980-3 con la nota di E.J. Kenney, e v. i vari commenti ad *En.* 6.601.

[115] V. soprattutto le discussioni di J. Perret citate a n. 112.

[116] König (n. 97), 257-64.

[117] Horsfall, *Athen.* 66 (1988), 40; *EV* s.v. *Varrone* (e *l'Eneide)*; i vari passi citati (per es. nella voce *Catone* dell'*EV* non hanno valore decisivo; all'analisi i punti di contatto si rivelano, sorprendentemente, pochi (od addirittura inesistenti) e poco convincenti.

nevano altri casi di influenza alicarnassea nella letteratura augustea[118]. E perché no? L'accumulare piccole dimostrazioni di contatto letterario porta alla fine a grosse conclusioni significative sulle letture di Virgilio. L'espansione dell'elenco degli autori usati dal poeta aumenta la flessibilità del mito, diminuisce le "incoerenze" formali (v. cap. 6), aumenta, quasi infinitamente, le potenzialità allusive, sia per il poeta che per i suoi lettori. Così, quando Igino protesta (ap. Gell. 10.16.11 = fr. 8, *GRF*) che nel sesto libro Teseo non solo rimane permanentemente negli Inferi (617-8), ma anche torna in questo mondo (6.122), Virgilio segue (i) la versione "classica" e (ii) quella più recente[119], gratificando così la retorica e provocando il lettore. Non bisogna mai dimenticare che Virgilio ha appreso l'arte allusiva e le tecniche della poesia erudita da Partenio (p. 46). Le allusioni mitologiche sono spesso arcane, astruse, oscure, difficili: la genealogia di Ecuba, il legame tra Aristeo e l'isola di Ceo, il tentativo fallito da parte di Orfeo di recuperare Euridice dagli Inferi, il legame tra la storia di Laocoonte e quella del Palladio (2.183), il ruolo di Laocoonte come prete di Nettuno[120] sono tutti esempi di erudizione "di parata" e di sfida dotta di riconoscimento lanciata al lettore informato.

(iv) Discuterò più ampiamente (cap. 5) alcuni casi notori in cui Virgilio trasforma l'intera struttura di un mito;

> Troiae qui primus ab oris
> Italiam fato profugus Laviniaque venit
> litora (*En.* 1.1-3).

Nella versione tradizionale[121] le navi di Enea toccano la terra promessa vicino a Lavinium (l'attuale Pratica di Mare, nei pressi di Pomezia), e dal punto di approdo passano direttamente al sito futuro di

[118] S. Harrison, ap. R.G.M. Nisbet, *Act. Ant. Acad. Scient. Hungaricae* 30 (1988), 312, e *CQ* 39 (1989), 273-4, E. Courtney *Vergilius* 34 (1988), 3-8.

[119] L. Preller, C. Robert, *Griechische Mythologie* 2.2 (*Griech. Heldensagen*)₄ (rist. Zürich 1967), 704-6, Apollodoro, *Bibl.* 2.5.12, *Epit.* 1.24 (con le note di Frazer, ed. Loeb).

[120] Ecuba: Horsfall, *CR* 29 (1979), 222, *Antichthon* 15 (1981), 141, n. 3; Aristeo: G.1.14-5 con la nota di Thomas; Orfeo: Pl. *Symp.* 179D con C.M. Bowra, *CQ* 46 (1952), 113-26; Laocoonte e Palladio: Austin, commento al 2° libro, p. 85; L. come sacerdote di Nettuno, Austin a 2.201.

[121] F. Castagnoli, *Lavinium* 1 (Roma 1972), 94, Horsfall, *BICS* Suppl. 52 (1987),

Lavinium; nella narrazione virgiliana, invece, a partire dalle parole di
Creusa (2.782) giungono alla foce del Tevere[122]; la localizzazione facili-
terà il viaggio alla Roma di Evandro, il primo alleato già promesso dalla
Sibilla (6.97), suggerisce tutt'una ricca gamma di risonanze della storia
romana, come per es. l'arrivo della Magna Mater della Frigia nel 204
a.C.[123], e fa pensare, almeno al lettore bene informato, alle versioni
secondo le quali Enea diventa fondatore, direttamente, della città di
Roma[124]. Tutta la sequenza narrativa dei libri 7-12 è una grande novità e
pure una sorpresa per un lettore abituato alle versioni annalistiche.
Enea, con i suoi alleati etruschi e con gli Arcadi di Evandro (Evandro
che "normalmente" appartiene ad una generazione mitologica anteriore), in un'unica campagna di guerra sconfigge un Latino riluttante, un
Turno inferocito, con tutt'i loro alleati dall'Italia centrale, e pure l'e-
trusco profugo Mezenzio. In pochi giorni risolve tutto il futuro mitico
del Lazio e del mondo mediterraneo. È una risistemazione del mito
breve, semplice, chiara, e in termini di equilibrio tra forze opposte non
troppo inverosimile[125]. I motivi del poeta ed i vantaggi per gli ultimi sei
libri dell'*Eneide* sono ovvi e sono stati discussi molte volte[126]. Mi soffermo su un unico particolare in Virgilio. Latino è re dei Latini e non
degli Aborigines, che nelle versioni precedenti non diventano Latini se
non dopo l'alleanza con i Troiani. Per Virgilio, i Latini, che assorbi-
ranno i Troiani *cum nomine* (12.828) erano per lui, e rimangono, veri e
vivi, mentre gli Aborigines sono proprio dei preistorici[127]: egli ne conserva però la memoria attraverso un'allusione etimologica, *ab origine
reges* (7.181).

16-7.
[122] *En.* 2.781-2, 3.500-1,5.83,796-7, 6.87, *EV* s.v. *Tevere* (*ad init.*).
[123] J.N. Bremmer, *BICS* Suppl. 52 (1987), 105-11, T.P. Wiseman, in *Poetry and
Politics in the Age of Augustus* ed. T. Woodman e D. West (Cambridge 1984), 117-28,
V. Buchheit, *Vergil über die Sendung Roms* (*Gymnasium* Beiheft 3, 1963), 178-83.
[124] H.A. Sanders, *CPh* 3 (1908), 317-8, *EV* s.v. *Tevere*, *BICS* Suppl. 52 (1987), 15,
20; cfr. DH 1.72.1-3, che cita vari autori precedenti, Sall. *Cat.* 6.1.
[125] Cfr. Horsfall, *GR* 34 (1987), 48-9.
[126] Heinze (premessa n. 5), 171-8; cfr. la versione divulgativa americana, H.W.
Prescott, *Development of Virgil's Art* (Chicago 1927, rist. New York 1963), 428-35.
[127] *EV* s.v. *Laurentes*; v. una mia nota in *Athenaeum* 78 (1990), 523-7: "The *Aeneid*
and the social structure of primitive Italy".

(v) Delle vere e proprie invenzioni mitologiche mi sono occupato di recente ed a lungo, in italiano[128]: parlo sia di personaggi inventati, come Camilla, Chaone, Achemenide, Drance, Androgeo, Niso ed Eurialo, che di episodi e legami innovati, come il legame tra le storie di Aristeo ed Euridice (*G.* 4.457), e come i casi discussi nel par. iv.

(vi) In parecchi casi possiamo arrivare a suggerire che il poeta innovi nella mitologia, pur mantenendo il sospetto che le nostre informazioni sulle sue fonti siano difettose ed insufficienti: Oreste perseguitato non dalle Furie ma da sua madre (4.472), il caso complicato della morte di Troilo durante un combattimento aperto e regolare contro Achille (1.474-8), le storie di Laocoonte e Sinone, con i loro miscugli di elementi originali ed inventati, l'invenzione autentica, seppure assai limitata, nei cataloghi dei libri 7° e 10°[mo.129].

(vii) Molta confusione tra gli studiosi sia antichi che moderni è nata dal gusto del poeta per l'arricchire una narrazione tradizionale ma esile col sovrapporvi elementi tratti da tutt'un altro contesto: Ippolito *turbatis distractus equis* (7.767) non è più il personaggio euripideo ma riceve la stessa morte di Metto Fufezio[130]; il cespuglio sanguinolento di Polidoro aggiunge ad una storia piuttosto tenue della leggenda troiana un dettaglio spaventoso tratto dalle descrizioni tradizionali di portenti a Roma[131]. Il giovane Troilo trascinato dietro i cavalli di Achille non è che un Ettore trasformato, mentre la salma di Priamo sulla spiaggia di Troia riecheggia il destino del corpo di Cn. Pompeo[132]. Dimostriamo altrove (p. 41) che "le colonne di Proteo" "appartengono" piuttosto ai viaggi di Ercole, che Evandro "appartiene" alla visita di Ercole al sito di Roma, che la storia di Palinuro viene arricchita da quelle di Elpenore, Prochita,

---

[128] *Athen.* 66 (1988), 31-51.

[129] Oreste: *En.* 4.471 con le note di Pease e Buscaroli, Wigodsky (n. 97), 83; Troilo: v.n. 132; Sinone e Laocoonte: Austin ad *En.* 2.189; invenzione nei cataloghi: Horsfall (n. 117), 45, *BICS* Suppl. 52 (1987), 8. V. pure J.E.G. Zetzel, *TAPA* 119 (1989), 273.

[130] Metto ed Ippolito: cfr. *En.* 7.767 e Liv. 1.28.9s.

[131] Polidoro (v. Eur. *Ecuba* 1-34) nella storia di Enea: Lutazio *ap. Origo gentis romanae* 9.5; prodigio: Grassmann-Fischer (cap. 1, n. 8), 93.

[132] Troilo: R.D. Williams, *CQ* 10 (1960), 146-8, Austin *ad loc.*, A. Cambitoglou in *Studies in honour of T.B.L. Webster* 2 (Bristol 1988), 1-21, Priamo: v. le note di Ussani e di Austin *ad loc.*

Polite e forse Filottete, che Aventino viene trasferito dall'elenco dei re di Alba Longa a quello degli alleati di Turno, e che, infine, diversi eroi vengono spostati da Virgilio dalla loro terra natia o tradizionale a tutt'un'altra parte dell'Italia[133].

(viii) Ci sono dettagli mitologici che noi proprio non capiamo, o che già non erano capiti bene dagli studiosi virgiliani antichi: lo scudo di Abante (3.286-7), od i Lapiti Peletronii (*G.* 3.115-6), l'origine epirota del marito (morto) dell'incendiaria Beroe (*En.* 5.620), od il significato preciso di *Diomedis equi* (1.752), il legame genealogico tra Evandro e gli Atridi (8.130), nonché la storia oscura di Elenore (9.545-7), od il rapporto tra Pilumno ed Oreithyia (12.83), o la genealogia di Panto, chiamato *Othryades* a 2.319 (ma cfr. Otrioneo, modello per l'amore di Corebo per Cassandra, 2.342ss.); il sacerdote di Cerere Polibete (6.484), che non ha chiari antecedenti letterari; la descrizione assai confusa di Ebalo (7.733-4), figlio di Telone e della ninfa Sebetide[134].

In alcuni di questi casi o noi stessi, o gli studiosi dell'epoca di Servio, saremo in difetto per un motivo di semplice ignoranza[135]; in altri casi è almeno possibile che il poeta, per inattenzione, per dimenticanza, per allusività forzata o per eccessi di compressione sia incorso in errore.

(ix) È forse legittimo parlare degli "errori" di Virgilio in mitologia: non a *Buc.* 6.41ss., dove lo stile sintetico ci porta a credere ad una confusione mitologica, ma probabilmente a 9.264, dove il poeta sembra

---

[133] Colonne di Ercole: n. 78; Evandro: *EV* s.v., 438 (Musti); Palinuro cap. 6, n. 56; Aventino: l'eponimo del monte ha un suo posto fisso tra i re di Alba Longa; come alleato di Turno sembra inventato, o piuttosto "preso in prestito" da un altro contesto mitologico: v. *BICS* Suppl. 52 (1987), 8; spostamenti: *Athen.* 66 (1988), 40-1, cap. 5, p. 89s.

[134] Abante: v. le note di Servio e di R.D. Williams a 3.286-7, Lapiti: W. Frentz, *Mythologisches in Vergils Georgica* (Meisenheim 1967), 54-8; negli altri casi citati, una consultazione delle note di Servio, dei commenti moderni più ampi, e delle voci appropriate nell'*EV* rivelerà quasi due millenni di perplessità!

[135] E. Thomas, *Essai sur Servius* (Paris 1880), 256-7; *unum de insolubilibus* (c'erano dodici o tredici passi denominati così) era un lamento rituale degli scoliasti; più spesso (come nei casi, per es., di *G.* 3.115-6 ed *En.* 3.286-7) dalla forma confusa di una lunga nota serviana diventa chiaro che la "chiave" dell'allusione poetica fosse già persa e dimenticata verso il 400 d.C.; cfr. la discussione nel primo capitolo 22,25s. delle reazioni serviane al ramo d'oro.

dimenticare che in Omero la città di Arisba fosse alleata dei Troiani[136]. Il caso delle due Scille, la figlia di Niso ed il mostro calabro dello stretto di Messina, identificate in *Buc.* 6.74-5, mi diventa più chiaro: l'autore della *Ciris* critica l'identificazione (54ss.), mentre Properzio (4.4.39s.) l'accetta[137]. Sembra perciò piuttosto probabile che il poeta abbia lanciato una sfida erudita, identificando due personaggi mitologici formalmente diversi ma comodamente omonimi[138]. Non mancano altri casi nei quali un poeta trae vantaggio dall'omonimia mitologica: penso soprattutto alla moglie di Enea, nella tradizione non Creusa ma Euridice — nome, quest'ultimo, che Virgilio aveva già adoperato per la compagna perduta di Orfeo; la perdita di Creusa, sul punto di essere salvata[139], chiaramente echeggia quella di — Euridice. L'ambiguità del mito nutre la sfida e lo scherzo erudito.

[136] Cfr. *EV* s.v. (Malavolta), E. Henry, *The Vigour of Prophecy* (Bristol 1989), 181, n. 7.

[137] Non conosco una buona discussione dell'allusione poetica in *Buc.* 6.74-5.

[138] Cfr. Glauco cretese e Glauco beozio: l'omonimia ha chiaramente provocato contaminazione tra le due storie: cf. A.H. Griffiths, *JHS* 106 (1986), 60, n. 12.

[139] Cfr. la nota di Austin a 2.795, J. Heurgon, *REL* 9 (1931), 263-8, *MEFR* 49 (1932), 6-60.

3. Doctus et lector

Tra Virgilio e i suoi lettori e ascoltatori contemporanei l'erudizione e l'allusione funzionavano come un linguaggio comune, una voce silenziosa di contatto continuo. Il *poeta doctus* presuppone il *lector doctus*: tra loro, durante una lettura dell'*Eneide*, sorgeva un discorso sotterraneo, vario e continuo, di piacere e di sfida intellettuale. Non parliamo, beninteso, delle avventure di Enea, e della fondazione di Lavinio, né dei vari "messaggi" o "voci" dell'*Eneide*, dell'equilibrio tra eroismo patriottico e tragedia umana, né delle grandi strutture allusive — ad Omero, a certe tragedie, ad Apollonio, Nevio ed Ennio —, né, se non *en passant*, dell'arte allusiva verbale, resa così viva e significativa per noi da Giorgio Pasquali, e tratteggiata in un buon articolo, purtroppo molto breve, di Paolo Fedeli, nell'*EV*[1]. Parlo di un altro aspetto, molto trascurato: del contatto tra poeta e pubblico colto, dei tanti riferimenti ed allusioni erudite che arricchiscono la tessitura letteraria dell'epos e che, attraverso la sfida colta, il problema risolto, la chiave scoperta, ci offrono ancora, come offrivano due millenni fa, un piacere intellettuale particolarmente intenso. Guardiamo la situazione nei termini più estremi: ogni nome proprio (di personaggio o di luogo), ogni aggettivo nominale, ogni scelta tra varianti narrative, ogni elemento sia nella storia di Enea che in tutte le altre menzionate nel testo (e sono moltissime), pure, come vedremo (148s.), ogni atto religioso, ogni oggetto mate-

---

[1] S.v. *Arte allusiva*; cfr. G. Pasquali, *Pagine Stravaganti* 2_2 (Firenze 1968), 275-82.

riale, a parte quelli comunissimi è, o può ben essere, una sfida lanciata dall'autore all'erudizione, memoria, intelligenza, letture, perspicacia del lettore[2].

Limitiamoci qui ad indicare alcuni punti visibili del vasto iceberg sommerso e quasi inesplorato. Abbiamo pure visto che già nel primo secolo d.C. la caccia alle allusioni sorprendentemente si arrendeva (p. es., 48s.) in certi casi non proprio disperati, che le osservazioni dei primi specialisti virgiliani rivelano talvolta una miopia mentale spaventosa[3] e che le note di Servio (o le discussioni in Macrobio) non di rado arzigogolano su passi che a noi appaiono invece chiari e semplici. A parte gli *insolubilia*[4], la problematica virgiliana antica si dimostra in tanti casi ossessiva, limitata, puntigliosa, metodologicamente fuorviata: ripeto una conclusione già stabilita un secolo fa, che adesso soltanto si rafforza. Il virgilianista prudente, però, anche quando si esaspera, non taglierà i suoi legami con i predecessori antichi; ma da Macrobio aggiornato ed illuminato si rimetterà alla ricerca — più sobria e sensata — dell'allusività erudita dell'*Eneide*. Il tema di questo capitolo ha le sue radici negli strati più vecchi degli studi virgiliani. In contrasto con i tanti arzigogoli dei primi *obtrectatores* di Virgilio[5], riportati o echeggiati in molti passi di Servio[6], una volta scartato un lavoro proprio sistematico o sul testo o sull'esegesi di Virgilio da parte di M. Valerio Probo[7], mi sembra che Emilio Aspro[8], nel suo commento (? tardo secondo secolo)

---

[2] Cfr. le osservazioni di Macaulay nel suo "Essay on Milton": «he sketches and leaves others to fill up the outline. He strikes the key-note and exspects his hearer to make out the melody».

[3] V. p.es. i frammenti di "Asinio Pollione", 13-15, con le osservazioni di G. Funaioli, *GRF*, 501-2, Igino, frr. 7-10 *GRF*, Cornuto ap. Macr. 5.19.2, con *Athen.* 66 (1988), 50. V. inoltre O. Ribbeck, *Prolegomena* (Leipzig 1866), 125.

[4] V. cap. 2, n. 135, Ribbeck (n. 3), 105-12, ed. Conington-Nettleship 1$_4$, xxxv-xliii.

[5] *GRF*, 544, *EV* s.v. (Görler).

[6] Thomas cap. 2, n. 135, 247, Ribbeck (n. 3), 96-113, Conington xxix-lvi.

[7] *EV* s.v. (Lehnus): ottimo riassunto; v. inoltre H.D. Jocelyn *CQ* 34 (1984), 464-72, 35 (1985), 149-61, 466-74, S. Timpanaro, *Per la storia della filologia virgiliana antica* (Roma 1986), 77-127.

[8] *EV* s.v. (Geymonat), Ribbeck (n. 3), 132-6. Il commento di A.A. è stampato in modo molto comodo da A. Thomsin, *Etude sur le commentaire virgilien d'Aemilius Asper* (Paris 1952), 125-43.

sia stato il primo a chiarire con amore e buon metodo le allusioni di Virgilio[9]. A parte gli esegeti, possiamo individuare una vasta gamma sociale ed intellettuale tra i lettori di Virgilio già durante la vita del poeta.

In cima, evidentemente, poniamo gli altri poeti, coetanei, amici, pure imitatori di Virgilio: in particolare Orazio e Properzio. Ovidio solamente vide il mantovano, si mise poi a rubacchiare, ad alterare con umorismo, oppure con malizia[10], non invece, mi sembra a studiare e soppesare con attenzione e rispetto. Scartiamo "Asinio Pollione": il critico di Virgilio così nominato non è da identificare col grande politico e letterato[11]. Passiamo quindi all'altro estremo, ai ragazzi nella scuola di Cecilio Epirota, che usava *Bucoliche* o *Georgiche* come testo scolastico già durante la vita del poeta[12]. Dobbiamo pure pensare (i) ai lettori piuttosto colti ma sfavorevoli, i primi *obtrectatores* e parodisti[13], (ii) ai primi grammatici che insegnavano Virgilio in scuola o discutevano problemi virgiliani: i frammenti di Igino benché egli fosse bibliotecario della Palatina, rivelano, come abbiamo visto, un vero torsolo, (iii) al gran pubblico romano, che faceva il tifo per Virgilio in modo stravagante[14] e (iv) frequentava le numerose esecuzioni di pezzi delle *Bucoliche* in teatro; anche se la storia presso Serv. *ad Buc.* 6.11 contiene troppi

---

[9] Nel commento di Servio troviamo spesso espressioni "formulari" di tipo (*per transitum*) *secutus est* (o *tangit*, o *adludit ad*) *historiam*, che può significare o "racconto, mito, leggenda" o "storia" nel senso di "storia romana". Aggiunge di tanto in tanto *subtiliter, latenter*, o *perite*: *ad Aen.* 1.267, 382, 443, 444, 487, 526, 726, 2, 166, 683, 3, 256, 286, 287, 4.159, 459, 676, 5.45, 329, 389, 6.69, 378, 719, 7.601, 684, 709, 715, 8.44, 493, 562, 693 (cf. 713), 9.544 (cfr. D. Serv. *ad Aen.* 9.587, 10.800, 11.743), 10.91, 92.

[10] F. Della Corte, *Atti Conv. mond. scient. studi Virg.* 1981 (Milano 1984), 1, 168-83, *EV* s.v. *Orazio* (Della Corte), Ovidio (von Albrecht), *Properzio* (Fedeli), G.K. Galinsky, *Ovid's Metamorphoses* (Oxford 1975), 14-25, 217-51.

[11] Funaioli (n. 3), Ribbeck (n. 3), 114-7; Della Corte (*EV* s.v.) attribuisce le osservazioni al figlio di P.!

[12] Svet. *Gramm.* 16, *GRF*, xxiv, Horsfall, *Atti* (n. 10), 2,47.

[13] *EV* s.v. *Parodie di V.* (G. Senis), J.-P. Cèbe, *La caricature et la parodie* (Paris 1966), 329.

[14] Tac. *Dial.* 13, 2f., Svet.-Don. *Vita*, 11; cfr. Vell. Pat. 2.36.3.

problemi di cronologia, rimane la testimonianza di *Vit. Svet.-Don.* 26 *"Bucolica" eo successu edidit, ut in scena quoque per cantores crebro pronuntiarentur*[15].

Ho discusso altrove[16] le testimonianze per la presenza di Virgilio nella vita quotidiana a Roma durante i primi secoli dell'impero. Sulla presenza di testi virgiliani tra i papiri e sugli echi epigrafici si è venuta accumulando una vasta bibliografia. Mi soffermo perciò su alcuni dettagli significativi:

(i) gli ufficiali dell'esercito leggevano Virgilio, come dimostrano le scoperte a Vindolanda e a Masada, e un aneddoto del 199 d.C.[17].

(ii) l'uso di citazioni virgiliane nella conversazione[18] a vari livelli sociali rivela (come fanno i graffiti[19]) sia la rinomanza del poeta che gli effetti mnemonici[20] dell'educazione antica. La crescita di un vero amore per Virgilio, malgrado quei metodi scolastici[21], è un bel tributo alla qualità delle opere.

(iii) Le *Georgiche* non hanno mai avuto il successo "popolare" delle *Bucoliche* e dell'*Eneide*[22].

(iv) La diffusione di Virgilio in tutto l'impero[23]; la persistenza di letture pubbliche di Virgilio, la sopravvivenza delle *Bucoliche* come poesia "popolare"[24].

---

[15] Cfr. Svet. *Ner.* 54, Macr. 5.17.5, Ov. *Am.* 2.18.25-6. Bellissime sempre le pagine di Comparetti, *Virgilio nel Medio evo*₂ (Firenze 1946), 1, 30-41.

[16] *Atti* (n. 10), 2, 47-50.

[17] A.K. Bowman e J.D. Thomas, *JRS* 76 (1986), 122.

[18] Horsfall (n. 10), 49-50, *GR* 36 (1989), 78.

[19] *EV* s.v. *Epigrafia* (Solin); cfr. Horsfall (n. 10), 50, A. Petrucci in *Virgilio e Noi* (Genova 1981), 54-5, M. Gigante, *Civiltà delle forme letterarie* (Napoli 1979), 163-77.

[20] Oros. 1.18, Horsfall (n. 10), 47-8, e nota a Nep. *Att.* 1.3, R.P. Hoogma, *Der Einfluss Vergils auf die CLE* (Amsterdam 1959), xii.

[21] Horsfall (n. 10), 47-8, H.-I. Marrou, *Hist. de l'éducation* 2 (Paris 1981), 81-3, S.F. Bonner, *Education in ancient Rome* (London 1977), 212-49.

[22] Horsfall (n. 10), 51-2.

[23] *Ibid.*, 50.

[24] Ven. Fort. 3.18.7-10, 7.8.25-6, Horsfall (n. 10), 49, n. 34, letture a cena: 49, n. 35, Giov. 11.179-82, con la nota di Mayor a 180-2, id. (n. 18, 1989), 79; letture pubbliche: cfr. Giov. 7.82-3, Staz. *Silv.* 5.2.163, Gell. 18.5 (Ennio; cfr. L. Gamberale, *RFil.* 117 (1989), 49), Apul. *Flor.* 5.1, G. Wille, *Musica Romana* (Amsterdam 1967), 226 Girol. *Ep.* 21.13.9: *et nunc etiam sacerdotes dei omissis evangeliis et prophetis videmus comoedias legere, amatoria bucolicorum versuum verba cantare.*

Ma dobbiamo anche chiederci quanto delle allusioni virgiliane (da quelle facili agli "*insolubilia*") potesse capire il pubblico romano, basso, medio ed alto. E se non ne potesse capire molto, perché reagisse con tanto entusiasmo e per tanti secoli alla poesia virgiliana. Vale la pena insistere sul fatto che il popolo minuto romano non era del tutto igno-rante di mitologia o di storia[25]. L'elemento sostanziale di mitologia greca nei proverbi romani[26] documenta questa conoscenza di base, confermata del resto dalle allusioni mitologiche nelle commedie[27]; nelle tragedie con trama mitologica, non ancora estinte sul palcoscenico romano né du-rante l'età augustea, né durante il primo secolo d.C.[28], dall'Atellana e dal pantomimo con argomento mitologico, se non dal mimo[29] e dalle molte opere d'arte greche trasportate a Roma di argomento mitologico[30], mentre per la storia, a parte tantissime opere d'arte "nazionali" e patriottiche[31], e le *fabulae praetextae*[32], non dovremmo dimenticare né l'osservazione di Cicerone *Fin.* 5.52 *opifices denique delectantur historia*, né il gusto popolare per le orazioni così ricche di *exempla* storici[33]. Suggerirei che il popolo romano fosse perciò in grado di capire almeno qualche elemento delle "sottostrutture" dotte dell'*Eneide* e che non

---

[25] Horsfall, (n. 18, 1989), 74-89, *BICS* Suppl. 52 (1987), 2.

[26] E. Fraenkel, *Elementi plautini in Plauto* (Firenze 1960), 55-105, W.J. Seaman, *CJ* 50 (1954), 115-9, F. Middelmann, *Griech. Welt u. Sprache in Plautus Komödien*, diss. Münster 1938, 48-69, E. Rawson in *Homo Viator* (Bristol 1987), 79-88, Ov. *F.* 3.535 *illic et cantant quicquid didicere theatris*.

[27] *BICS* Suppl. 52 (1987), 2 con n. 7.

[28] Sen. *Ep.* 108.8, Svet. *Aug.* 43.1, Tac. *Ann.* 11.13, Sen. *Tro.* ed. E. Fantham 3-9, O. Zwierlein, *Die Rezitazionsdramen Senecas* (Meisenheim 1966), 158-61, J. Griffin, *Latin Poets and Roman Life* (London 1985), 198-203, H.D. Jocelyn, *BICS* Suppl. 51 (1988), 57-60, L. Friedlaender, *Sittengeschichte Roms2*[10], (Leipzig 1921), 121, id. *Roman Life and Manners* (Trad. ing.) 4 (London 1909/1965), 256-7.

[29] Horsfall, *CJ* 74 (1979), 331.

[30] M. Pape, *Griech. Kunstwerke als Kriegsbeute* (diss. Hamburg 1975), Horsfall, *Prudentia* 20 (1988), 12-3.

[31] O. Vessberg, *Studien z. Kunstgeschichte* (Lund 1941), 21-79.

[32] Frr. ed. A. Klotz, *Scaen. Rom. Frag.* (München 1953), 358-72, O. Ribbeck, *Scaen. Rom. Frag.*[2] (Leipzig 1871), 277-86, W. Beare, *The Roman Stage*[2] (London 1955), 29-34, B. Gentili, *Lo spettacolo nel mondo antico* (Bari 1977; Univ. Laterza 379) p. 42.

[33] A.-M. Guillemin, *Le public et la vie littéraire à Rome* (Paris 1937), 10-12, *de orat.* 2.338, *Brut.* 200, ecc.; *exempla*: M. Rambaud, *Cicéron et l'histoire* (Paris 1953), 25-54, H. Kornhardt, *Exemplum* (diss. Göttingen 1936).

fosse costretto ad accontentarsi delle avventure e dei bei suoni del verso[34]. Risulta pure chiaro come l'*Eneide* funzionasse con gran successo a vari livelli di comprensione: l'operaio poteva ascoltare un libro intero, godendone musicalità, trama e personaggi, retorica ed avventure, capendo pure qualcosa della storia e della mitologia, nel tempo impiegato (per una lettura del quarto libro, pensiamo a 55 minuti) da uno studioso serio per concludere che lo scudo di Abante fosse davvero problema irresolubile.

Dovremmo pure contrapporre alla gamma sociale e culturale del pubblico di Virgilio un'altra gamma, quella, cioè, dei livelli di difficoltà delle allusioni. Non cercherò di stabilire corrispondenze precise tra le due ma solo di delineare un tipo di gradazione dell'allusività virgiliana. La presenza di Io nelle parole *Inachiae...iuvencae*[35] a *G.* 3.153, di Ercole nel patronimico *Alcides* ad *En.* 5.414, della fondazione di Cumae da parte dei Calcidesi dell'Eubea ad *En.* 6.2 *Euboicis Cumarum...oris* sarà stata più o meno ovvia a tutti i lettori dell'*Eneide*, né giova moltiplicare le prove che noi pure abbiamo letto qualche manualetto di mitologia o qualche testo più ampio e vario di contenuto mitologico[36]. Passiamo piuttosto subito ad alcuni casi più provocatori e fruttuosi.

Ad *En.* 1.720 Virgilio parla di Venere come *matris Acidaliae*. Nella frase *at memor ille (Cupido) matris A.* rivela a tutti che si tratta di Venere; l'epiteto, però, come abbiamo visto (cap. 2, n. 111), si spiega soltanto attraverso una buona conoscenza delle opere minori di Pindaro. La montagna Tmaros, che si innalza sopra Dodona (*Buc.* 8.44), poteva

---

[34] Mi sembra troppo pessimistica l'osservazione di Macrobio (3.2.7): *est profundam scientiam huius poetae in uno saepe reperire verbo, quod fortuito dictum vulgus putaret.* Vale la pena paragonare la cultura biblica tradizionale dei paesi protestanti (in Inghilterra, un minimo di due salmi e quattro letture ogni Domenica dell'anno); le versioni di Lutero e dei traduttori del re Giacomo I sono pure in sé stupende. Questa cultura viene presupposta da Donne, Milton, Shakespeare, Bunyan, Bach...

[35] Alla stessa volta si nasconde un'allusione a Mosco, *Europa* 51, v. *EV* s.v. (Perutelli); cfr. pure *En.* 10.220-4 con Mosco, 118ss., cfr. n. 44.

[36] Un caso di allusività di livello medio si trova a 6.529: Deifobo descrive l'ultima notte della città di Troia; Elena ruba la spada del nuovo marito; *intra tecta uocat Menelaum et limina pandit, ... comes additur una hortator scelerum Aeolides*: A. è un insulto: allude ad Ulisse non come figlio di Laerte ma come bastardo di Sisifo, figlio di Eolo, Esch. fr. 175.1 Radt, ecc.

essere identificata da molti (p.es. ex-soldati) che non avrebbero riconosciuto pure l'allusione callimachea[37] (*Aet.* 1 fr. 23.3Pf.); lo stesso vale per la Rhodope di *Buc.* 6.30, *G.* 3.351, ecc., una montagna sia tracica che teocritea (7.77); le *Sithonias...nives* di *Buc.* 10.66 indicano di nuovo la Tracia ma provengono da Euforione (fr. 58.2 Powell) e Partenio (646.3 *Suppl. Hell.*). Apollo viene definito come *pastor ab Amphryso* (*G.* 3.2): un fiume della Tessaglia, oltre che un riferimento callimacheo (*I.* 2.47-9). I *lucos Molorchi* (*G.* 3.19) alludono sia a Nemea nel Peloponneso che alla prefazione del terzo libro degli *Aetia* di Callimaco (fr. 54Pf.). Dell'erudizione geografica che si spiega attraverso l'allusione letteraria non ho citato che pochi esempi; se ne possono trovare molti altri con facilità, anche se la maggior parte degli studi recenti si è concentrata sulle *Buc.* e sulle *Georg.*[38] . Per l'*En.* alcuni esempi raccolsi durante gli ultimi anni[39]. Di recente ho cercato di rivalutare la lezione (*multo difficilior*) *Poenigenam* a 7.773 (*CR.* 37 (1987), 179); la storia della nascita di Asclepio dopo che Apollo ebbe punito l'infedeltà della madre Coronide non è molto diffusa (v. Ig. *Fab.* 202), ma la lezione ed il riferimento vengono garantiti, direi, dalla nostra riscoperta (pp. 45, 47, 61) delle lezioni pindariche di Virgilio: il lettore attento ricorderà il mito nella terza pitica. Amata, la moglie di Latino, resa pazza da Alletto *sine more furit lymphata per urbem* (7.377): tutta la sua folle corsa è descritta in termini di possessione dionisiaca; Amata rotea come una trottola *quem pueri magno in gyro uacua atria circum/intenti ludo exercent.* La trottola, come Virgilio sapeva bene, era un simbolo del culto di Dioniso[40], ma la descrizione allude al primo epigramma di Callimaco (vv.

---

[37] V. R.G. Mayer, "Geography and Roman poets", *GR* 33 (1986), 47-54. L'elemento geografico-letterario nelle *G.* non viene sempre discusso con l'ampiezza che merita nel commento di Thomas; per alcuni dettagli v. la mia lunga recensione, di prossima pubblicazione in *RFil.*

[38] A parte il commento di Thomas e l'articolo di Mayer (n. 38), sono utilissimi per indagini di questo genere l'articolo dello stesso Thomas, "Virgil's Georgics and the art of reference", *HSCP* 90 (1986), 171-98, ed il libro di W. Frentz (cap. 2, n. 134).

[39] Sul libro di W. Clausen (cap. 2, 9), v. le mie osservazioni, *Boll. Stud. Lat.* 18 (1988), 124-7. In queste pagine non offro che un abbozzo del libro sull'Alessandrinismo dell'*Eneide* del quale abbiamo talmente bisogno.

[40] G. Hirst, *CQ* 31 (1937), 65-6, W.K.C. Guthrie, *Orpheus and Greek Religion* (London 1935), 120-1.

9-10). La raffigurazione di Io sullo scudo di Turno (7.789-92) allude alle origini argive di Turno, a Giunone che tormenta ragazza e guerriero, e ad un'altra *ekphrasis*, nell'*Europa* di Mosco, che contiene anch'essa 'Ιναχὶς 'Ιώ[41]. Ad *En.* 8.573 il lettore colto non rimarrà perplesso a lungo: *Iuppiter, Arcadii, queso, miserescite regis...* Perché dovrebbe avere pietà soprattutto di un re arcade? Perché egli stesso era nato in Arcadia, secondo l'inno di Callimaco a Zeus[42].

Osserva Macrobio (5.18.1): «vengo a quelle cose che, scavate dalle parti recondite (*penetralibus*) della letteratura greca, non sono note a nessuno se non abbia assorbito con diligenza l'erudizione greca perché questo poeta era *ut scrupulose et anxie, ita dissimulanter et quasi clanculo doctus*, così da desumere dal greco molte cose, l'origine delle quali è difficile conoscere». Guardiamo adesso quattro altri tipi di "puzzle"; dico "puzzle" piuttosto deliberatamente, pensando all'elemento di sfida colta, di giuoco di erudizione, pure di divertimento condiviso sia dal poeta che dal suo pubblico dotto:

(i) Partiamo dall'allusione anonima: Virgilio parla di Aristeo sia come *cultor nemorum, cui pinguia Ceae/ter centum niuei tondent dumeta iuuenci* (G. 1.14-5) che come *Arcadii...magistri* (G. 4.283). Il primo passo si spiega come allusione alle versioni di Callimaco e Apollonio[43]; più difficile il secondo. A *G.* 1.14 DServ. commenta: *huic opinioni Pindarus refragatur, qui eum ait de Cea insula in Arcadiam migrasse.* Diverso il mito della nona pitica (Thomas, *ad loc.*); ma ciò non esclude una seconda versione altrove[44]. Già nelle *Buc.* Virgilio rivela un gusto per allusioni di questo genere: 4.63 *nec deus hunc mensa, dea nec dignata cubili est* (si pensa ad Ercole ed Anchise, p.es.); ma soprattutto nelle *Georgiche* ne fa uso abbondante[45]. Per l'*Eneide* penso soprattutto alle parole di Didone:

---

[41] Mosco, *Eur.* 44 (cfr. n. 35); Ardea: cfr. Plin. *Nat.* 3.56 (probabilmente varroniano).

[42] R.G. Mayer, *CQ* 38 (1988), 260-1, Call. *I.1.7.*

[43] Cfr. Thomas *ad loc.*, id. *HSCP* 91 (1987), 248, Apoll. Rod. 2.500-27, Call. *Aet.* 3 fr. 75, 32-3; pure Call. omette il nome di A.

[44] Fr. 251Sn.; lo scetticismo di Thomas contro DServ. mi sembra eccessivo.

[45] Il commento di Thomas osserva ma non raccoglie; insufficiente l'indice: v. 1.19 *uncique puer monstrator aratri* (Trittolemo), 1.138 *claramque Lycaonis Arcton*: Callisto, figlia di L. diventa la costellazione A.; a 3.92-4 manca il nome di Filira, da restituire dall'allusione ad A.R.2.1231-41; a 3.153 V. sopprime, come abbiamo visto, il nome di Io; a 3.258-60 racconta la storia di Ero e Leandro senza nominarli; osserva DServ. *Leandri nomen occultauit quia cognita erat fabula*; a 4.246-7 allude alla sfida fatta da

non potui abreptum diuellere corpus et undis
spargere? non socios, non ipsum absumere ferro
Ascanium patriisque epulandum ponere mensis (4.600-2).

Nella prima categoria Didone ci fa pensare alle storie di Medea con Apsirto, nella seconda di Pelope con Tantalo, di Tieste con Atreo (p.es.). Quando Ercole osserva a Pallante, che sta per morire, *Troiae sub moenibus altis/tot gnati cecidere deum* (10.470) solo Sarpedonte viene nominato. Delle torture dell'Inferno elencate senza peccatori (6.602-5, 616-7) abbiamo parlato altrove[46].

(ii) Riassumo il contenuto di una bellissima nota piuttosto trascurata di E.L. Harrison[47], che tratta dell'arte allusiva "classica" adoperata con scopo di divertimento. Così, quando Enea dichiara a Didone *inuitus, regina, tuo de litore cessi* echeggia le parole di Catullo (parla la chioma di Berenice): *invita, o regina, tuo de vertice cessi* (66.39). Malgrado il contesto tragico, è quasi impossibile non pensare ad un'intenzione letteraria almeno in parte umoristica. *It nigrum campis agmen* scrive Virgilio a proposito delle formiche nel paragone a 4.404; *it nigrum campis agmen* tuona *pater Ennius* (*Ann.* 474V) a proposito degli elefanti di Annibale! *Quo fessum rapitis, Fabii?* esclama Anchise (6.845); ha descritto una buona parte della parata dei futuri romani ed ecco arrivano i Fabii a passo di marcia, scomponendo la descrizione. *Tu Maximus ille es, unus qui nobis cunctando restituis rem*: la citazione di Ennio (Ann. 370V) era inevitabile ed il verso era diventato così famoso che rischiava di sembrare banale. Virgilio perciò scherza leggermente: è Fabius *Cunctator* che arriva a passo di bersagliere.

(iii) Arriviamo ad un gruppo di allusioni più serie e provocatorie[48]: si tratta di quei passi dove il poeta allude ad una storia che poi non racconta o ad una versione di una storia diversa da quella che adopera

---

Aracne a Minerva. Per riferimenti del tipo *candida venit avis longis inuisa colubris* (= cicogna), anch'essa di origine ellenistica (v. Arat. 947), *Maia* 41 (1989), 252; cfr. pure il *chersydrus* non nominato a 3.425, ma noto da Nicandro, *Ther.* 359-71. Non pretendo di aver fatto una raccolta esauriente del materiale.

[46] Paragonabili sono le allusioni anonime alla storia contemporanea, 6.613, 621.

[47] "Cleverness in Virgilian imitation", *CPh* 65 (1970), 241-3 = Harrison (cap. 10, n. 27), 445-8.

[48] Già discusse da me, molto sinteticamente, *Antichthon* 15 (1981), 144-5.

nella narrazione principale[49]:

solam nam perfidus ille/te colere... protesta Didone ad Anna (4.423); Virgilio sembra alludere alla versione probabilmente varroniana secondo la quale Enea amava non Didone ma Anna[50]. Di nuovo protesta Didone, quattro versi dopo *nec patris Anchisae cineres manisue reuelli*; secondo Varrone però le rubò Diomede, per poi ridarle ad Enea. Nel quinto libro, per la gara di corsa si presentano Patron dall'Acarnania, nel nord-ovest della Grecia, e Salius, dalla città arcade di Tegea. Secondo Varrone, Salius era il fondatore della confraternita dei Salii, preti di Marte[51]. La sequenza dei nomi (5.298-9) e dei paesi è chiastica; una volta risolta quella piccola difficoltà formale, il lettore attento si chiederà come un arcade avesse potuto raggiungere i compagni di Enea, visto che i troiani non si erano fermati nel Peloponneso. Ma altre versioni più prolisse e dettagliate del viaggio di Enea contemplano pure una sosta in Arcadia[52], e l'origine di Salius allude a questa versione soppressa da Virgilio. Ad *En.* 5.704-5 Virgilio parla di un rapporto speciale tra Pallante e Naute: secondo Varrone, *de familiis Troianis*[53], Naute aveva salvato il Palladium.

(iv) Passiamo all'ultimo gruppo di "puzzle", anche se "puzzle" non è più la definizione esatta: in molti dibattiti tra storici, politici ed antiquari[54] contemporanei o poco anteriori, Virgilio prende posizione, anche qualche volta abbastanza decisa; ed il fatto che egli partecipa, con mezzi poetici, a discussioni e controversie non esclusivamente erudite non sarà stato trascurato almeno dai suoi lettori più informati ed aggiornati:

---

[49]   Cfr. SDan. *ad Aen.* 3.119 *quamvis diversis locis alias opiniones aliorum secutus poeta*, id., *ad Aen.* 3.286 *amans inventa occasione recondita quaeque summatim et antiquam contingere fabulam*, cap. 6, nn. 18, 45, 61.

[50]   Discuto la forma della nota serviana, *BICS* Suppl. 52 (1987), 102; per Varrone, v., p. es., *PVS* 13 (1973-4), 11, G. D'Anna, *Virgilio* (Roma 1989), 159-166.

[51]   Horsfall *loc. cit.*, (n. 49); v. DServ. *ad Aen.* 8.285, Isid. *Orig.* 18.50.

[52]   Cfr. J. Perret, *Les origines de la légende troyenne de Rome* (Paris 1942), 38-53, Dion. Al. *A.R.* 1.49.ls. = *FGH* 840F27 = 321F2 (Agathyllus), Fest. p. 439.l L = Polemon, *FHG* 3.126, fr. 37; Paus. 8.12.8.

[53]   *HRR* ed. Peter, 2,9; Horsfall, *BICS* Suppl. 52 (1987), 23, *Vergilius* 32 (1986), 9.

[54]   Non parlo qui dei *zetemata/problemata/quaestiones* degli studiosi: v. le note di Thomas a G. 1.281-3, 2.68, 298, 406, 528, 4.293, R. Pfeiffer (cap. 2 n. 4), 69-70, Thomas (cap. 2, n. 135), 247-51.

(i) *Troiae qui primus ab oris/Italiam fato profugus*[55]*Lauiniaque uenit/litora* (*En.* 1.1-3) polemizza contro Ulisse ed Antenore: Ulisse che secondo alcune versioni era fondatore, o co-fondatore con Enea di Roma (e/o di altre città italiche)[56], ed Antenore, anch'egli rifugiato da Troia, anch'egli arrivato in Italia — ma nel Veneto[57].

(ii) Virgilio descrive i troiani come *omnium egenos* (1.599) in contrasto ovvio e polemico con Didone, anche lei profuga di Sidone[58], e con le versioni nelle quali Enea tratta con i Greci ed ottiene il privilegio di lasciare Troia con un ampio tesoro[59].

(iii) Ilioneo chiede a Latino *dis sedem patriis litusque... innocuum*, cioè *non nocens* (7.229-30); insiste *non erimus regno indecores*. Virgilio protesta contro le versioni di Catone (ed altri)[60] secondo le quali i Troiani, appena approdati nel Lazio, vanno a cercare bottino, come con il *fato profugus* di 1.2, polemizza contro critiche del tipo di quella sallustiana (*Cat.* 6.1) *Aenea duce profugi sedibus incertis uagabantur*[61].

(iv) All'inizio della guerra nel Lazio, Virgilio parla delle porte di Giano come già esistenti; nel suo *excursus* storico, spiega *has* (sc. *portas*) *ubi certa sedet patribus sententia pugnae...reserat...consul* (7.611-3); torna al presente con le parole *hoc et tum Aeneadis indicere bella Latinus/more iubebatur* (7.616-7). Il re non decise da sé, ma ricevette istruzioni (dai suoi consiglieri, per sottinteso): nel primo secolo a.C. c'era sul diritto di dichiarare la guerra nella Roma arcaica un dibattito storiografico acceso, con evidente significato contemporaneo, tra i sostenitori dei privilegi del consiglio (o del senato; cfr. 7.727) e quelli dell'iniziativa del re (cfr. 7.752) o del *princeps* (Mario, Silla, Cn. Pompeo, Cesare)[62].

---

[55] F.R. Bliss, *Studies in honor of B.L. Ullmann* 1 (Roma 1964), 99-105, Horsfall, *Vergilius* 32 (1986), 15.

[56] H.A. Sanders, *CPh* 3 (1908), 318-9.

[57] Horsfall, *Vergilius* 32 (1986), 15, G.K. Galinsky, *Lat.* 28 (1969), 3-18.

[58] Horsfall, *PVS* 13 (1973-4), 6-7, F. Cairns, *Virgil's Augustan Epic* (Cambridge 1989), 40.

[59] Horsfall, *Antichthon* 15 (1981), 145, *CQ* 29 (1979), 384, 386, *BICS* Suppl. 52 (1987), p. 14, n. 25.

[60] Cat. *Orig.*fr. 10P; Horsfall, *Antichthon* 15 (1981), 145.

[61] *BICS* Suppl. 52 (1987), 24, n. 163, G. D'Anna, *Problemi di letteratura latina arcaica* (Roma 1976), 116.

[62] Cfr. pure 7.173, *sceptra accipere*, dalle *curiae* dei Laurentes? Cfr. *CR* 28 (1978), 357.

(v) Quando nel primo libro Giove racconta a Venere molto impressionisticamente la storia futura di Roma, Virgilio ci offre una cronologia particolare: tre anni (1.265) tra la vittoria di Enea contro Turno e la sua morte, trent'anni (269) per il regno di suo figlio Ascanio, e poi trecento (272) per i re di Alba. Il totale, 333, non corrisponde, nemmeno vagamente, con le altre versioni e possiede chiaramente qualche valore simbolico o religioso che cercai di indagare quindici anni fa[63]. Esiste senza dubbio un problema, non risolto nelle note di Servio: delle sue perplessità abbiamo già visto qualcosa[64]; in molti casi, la sua palese confusione provoca una giustificata reazione di condanna od impazienza; altrove, però, ci conserva le tracce di secoli di lavoro e di perplessità dotta e genuina: in parecchi passi risulta chiaro che quella perplessità risale ad un disequilibrio tra le sfide dotte del poeta e le capacità inadeguate perfino dei suoi primi commentatori.

---

[63]   *CQ* 24 (1974), 111-5, *EV* s.v. *Numerologia*, 790 aggiunge pure 3000, creando nuovi problemi! Cfr. pure D'Anna (n. 50), 197-205.

[64]   *Valerius Probus...notat nescire se hanc historiam siue fabulam quo referat auctore*; v. cap. 8, p. 1: se ci fidiamo di Servio, l'ignoranza di Probo è sconcertante; è *sui generis* il riferimento di Macrobio (Lehnus, *EV* s.v. *Probo*), e non necessariamente da giudicare un frammento autentico del famoso grammatico.

4. Invenzione, erudizione, originalità

"L'originalità della letteratura latina" è stato un argomento dibattu-
tissimo tra studiosi e letterati, sia in Germania che in Italia, dalla fine
dell'Ottocento in poi, per mezzo secolo. Accanto a Terenzio, Virgilio
divenne punto focale della discussione; ho sfogliato tanto di Jachmann,
Kroll, Fraenkel, Wilamowitz, eccetera[1], per trovare grosso modo nulla,
almeno sul piano scientifico, a parte banalità e generalizzazioni. Pure
l'elenco dei personaggi inventati nell'*Eneide* nel libro così buono di
Richard Heinze[2] è inadeguato. Gli ultimi cinquant'anni hanno regi-
strato un certo progresso; sulla nuova giustapposizione virgiliana di
"stile obiettivo" e "stile soggettivo" ci sono delle pagine acute (ma non
belle) nel libro di Brooks Otis[3]. Nel mio articolo su Camilla in *Athenaeum* 66 (1988), 31-51[4] ho affrontato il problema dei personaggi e degli
episodi "inventati", non senza esaminare le critiche antiche dell'inven-

---

[1] E. Fraenkel, *Gedanke zu einer deutschen Vergilfeier* (Berlin 1930); *Rome and Greek
Culture* (Oxford 1935), 21-3 = *Kl. Beitr.* 2 (Roma 1964), 592-3; G. Jachmann, *Der
Originalität der röm. Literatur* (Leipzig 1926), 38-40 = *Ausgew. Schriften* (Königstein
1981), stessa paginazione; per Wilamowitz, v. L. Canfora in *Kaiser Augustus und die
verlorene Republik* (Berlin 1988), 619-21; W. Kroll, *NJA* 21 (1908), 513-27 = *BASM*
1.4. (1930), 11-15. V. pure B. Croce in S. Prete, *Tra filologi e studiosi della nostra epoca*
(Pesaro 1984), 19-23.
[2] Heinze, (premessa, n. 5), 245.
[3] B. Otis, *Virgil. A study in civilized poetry* (Oxford 1964), 41-96.
[4] V. pure cap. 2, p. 50 e *GR* 34 (1987), 48-55 *passim* su alcuni imbarazzi nell'economia dei personaggi minori virgiliani.

zione virgiliana[5]. Qui vorrei inserire un breve sommario delle mie conclusioni sulle invenzioni virgiliane in una cornice doppia — dell'erudizione e della necessità[6].

Il termine "invenzione" in sé è proprio infelice e fuorviante. Siamo
troppo abituati a pensare alle invenzioni pratiche e scientifiche, dalla
ruota al microchip, all'invenzione, voglio dire, che ci offre qualche
strumento dove prima non c'era proprio nulla: l'invenzione scientifica
di questo genere ci stupisce e meraviglia. Il *plasma* virgiliano — e qui
adopero il termine più diffuso della critica antica[7] — comprende qualcosa formato dal poeta ma non *ex nihilo*. Questo *plasma* — ritengo
decisamente più appropriato ed illuminante il termine antico — ha come
principio di base il non farsi riconoscere. Le novità di Virgilio si rivelano
lentamente al pubblico dotto, dopo ripetute letture attente. Il poeta
preferisce che le sue novità non disturbino o sconcertino mai i suoi
lettori[8]. Nei primi tredici versi dell'*ars poetica*, Orazio definisce lo stesso
problema in termini indimenticabili.

Dobbiamo perciò enucleare due questioni distinte: (i) i motivi di
Virgilio per "plasmare" e (ii) i metodi del poeta per nascondere il
"plasmato". Mettiamo da parte quei personaggi arricchiti e trasformati
coll'aggiunta di nuovi elementi e dettagli, per esempio Polidoro, come
abbiamo visto[9], o Didone, personaggio pre-esistente nella storia leggendaria[10] ma "plasmata" da Virgilio: nel caso della trasformazione di
Theiosso (Timeo, *FGH* 566F82) in Didone, coll'aiuto di Circe, di Ca-
lipso, di Medea, di Arianna, ecc., il termine antico sembra specialmente
appropriato. Guardiamo, però, più attentamente alcuni episodi inseriti

---

[5] *Athen.* 1988, 36, 50.
[6] Riconosco con gratitudine (v. p. 9s.) l'influenza dell'interpretazione offertami 25
anni fa da Sir Denys Page delle idee di Tycho von Wilamowitz sulla subordinazione dei
personaggi alle esigenze della trama: v. H. Lloyd-Jones *Blood for the Ghosts* (London
1982), 221-4.
[7] *Plasma*: v. *Athen.* 66 (1988), 49-50 (con ampia bibliografia); cfr. Or. *AP.* 126
personam formare novam.
[8] *Athen.* 66 (1988), 50: la critica virgiliana antica reagiva senza comprensione alle
novità di Virgilio; cfr. cap. 5, n. 17 per alcune inezie a proposito di Didone.
[9] Cap. 2, n. 131; v. cap. 7, n. 11.
[10] V. (*ex. grat.*) *EV* s.v. *Didone* 50-2 (La Penna), G. D'Anna (cap. 5, n. 43), 159-95,
Horsfall, *PVS* 13 (1973-4) 8-9, A.S. Pease ed. *En.* 4,16-7.

— o così sembra — da Virgilio tra le avventure di Enea[11]: la visita a Creta (3.121-91), la visita alle Isole Strofadi (e l'incontro con le Arpie) (3.209-77), l'avvicinarsi a Scilla e Cariddi (3.431-32, 554-69, 684-5), l'avventura con i Ciclopi (3.588-691). L'incontro con le Arpie suggeriva bellissime possibilità drammatiche e profetiche[12]: il modello letterario era già disposto in Apollonio (2.178-300); l'ubicazione non fissa delle Arpie[13] offriva al poeta una scelta libera (come nel caso della morte di Anchise, p. 77) secondo i criteri dell'economia della narrazione, della tecnica artistica, della struttura del libro. Dal punto di vista geografico, la visita a Creta era facile da inserire nel *nostos* di Enea e consentiva al poeta la possibilità di impinguare il testo con le molte leggende dell'isola (Curetes, Monte Ida, Idomeneo). L'ambiguità tra Ida troiana ed Ida cretese provoca l'illusione (v. 3.94-6, 161-71, 184-8) che l'isola fosse l'origine, l'*antiqua mater* dei Troiani, mèta destinata dei loro viaggi. Come vedremo, cap. 5, p. 81, la sosta sbagliata e sfortunata durante il viaggio verso la terra promessa è un motivo molto comune nelle leggende di colonizzazione, e Virgilio approfitta di tutte le possibilità drammatiche ed emozionali dell'errore.

Con i rapporti tra avventure di Ulisse ed avventure di Enea, arriviamo ad un bel problema, trascurato da quasi tutti i virgilianisti[14]: Virgilio non solo imita l'*Odissea*, ma discute e polemizza[15] con Omero; non solo riscrive, o cerca di migliorare, passi ed episodi[16] ma si riferisce esplicitamente al testo dell'*Odissea*, testimonianza autorevole ed unica per le avventure di Ulisse, come l'*Iliade* lo fu per le sconfitte di Enea durante l'assedio di Troia. Inoltre, Virgilio deve inserire Enea nello stesso contesto geografico, più o meno simultaneamente (v. 3.645) ad Ulisse. Nell'età di Augusto anche le tappe più esotiche e stravaganti del ritorno di Ulisse erano localizzate sulla carta geografica convenzionale[17],

---

[11] Ottimo l'articolo di R.B. Lloyd, *AJPh*. 78 (1957), 133-51.

[12] E. Harrison, *PLLS* 5 (1985), 148-52, *EV* s.v. *Arpie* (Fasce).

[13] "Igino" *Myth.* 14.18 segue Virgilio; mare siculo: Schol. A.R. 2.285; Creta A.R. 2.298; inferno: Virg. *En.* 6.289.

[14] Ma v. H.-D. Reeker *Die Landschaft in der Aeneis* (Hildesheim 1971), 166-71.

[15] V. cap. 5, pp. 84, 86.

[16] Per riferimenti ad Apoll. *Arg.*, cfr. 3.212, 4.600-1,7.526.

[17] J.O. Thomson, *History of ancient geography* (Cambridge 1948), 25-7; Denys Page, *Folktales in Homer's Odyssey* (Cambridge, Mass. 1973), 26-7 *et passim*.

od almeno venivano discusse, col risultato che Virgilio si trovava di fronte ad un problema abbastanza complesso: certe localizzazioni erano certamente da evitare, come, per es., quella dei Lestrigoni a Formia[18]. La costiera italica tra Roma e Napoli, conosciuta da tutti e costellata dalle ville degli amici aristocratici di Virgilio, non era da popolare con giganti antropofagi. L'isola di Circe, come vedremo fra poco, fa eccezione. Ad altre tappe del viaggio di Ulisse Virgilio allude *en passant*, molto sinteticamente; e non poteva fare altro, costretto com'era dai dati geografici: le navi di Enea non possono passare lontano da Itaca: *effugimus scopulos Ithacae, Laertia regna, et terram altricem saeui exsecramur Ulixi* (3.272-3). Una chiacchierata ricca di reminiscenze tra Laerte ed Anchise a quel punto non era da contemplare (penso ad 8.157-68: incontro tra Evandro ed il giovane Anchise): all'atmosfera di conciliazione rispettosa tra Greci e Troiani che troviamo nelle parole di Diomede (11.278-93) non siamo ancora giunti nel terzo libro[19]. Lo stesso vale per la terra dei Feaci, localizzata normalmente a Corfù[20]: *protinus aerias Phaeacum abscondimus arces* (3.291); un incontro tra Enea (di recente vedovo, e sul punto di cadere negli abbracci di Didone) e Nausicaa (profondamente intristita dalla partenza di Ulisse) sarebbe stato forse più adatto all'umorismo di un Ovidio. Le Sirene spesso erano localizzate sugli isolotti Galli, a sud della penisola di Sorrento[21]:

> iamque adeo scopulos Sirenum aducta subibat
> difficilis quondam multorumque ossibus albos;
> tum rauca adsiduo longe sale saxa sonabant (5.864-6).

Si erano suicidate per la mortificazione della loro propria incompetenza, non avendo impedito il passaggio ad Ulisse (cfr. *Od.* 12.201-3). Virgilio era costretto dalla carta geografica ad alludere alle Sirene, che

---

[18] Cfr. Cic. *Att.* 2.13, *Or. Carm.* 3.17: localizzati pure altrove: *PW* Suppl. 5.539 (Meuli); in Sicilia soprattutto nei pressi di Leontini.

[19] W.S. Anderson, *TAPA* 88 (1957), 27.

[20] Tuc. 3.70.4, Arist. fr. 512 Rose, Dion. Perieg. 494, Strab. 6.2.4., Stoll in Roscher s.v. *Phaiaken*, par. 2.

[21] Strab. 5.4.8., ps. Arist. *de mir. ausc.* 110, *EV* s.v. *Sirene, aspetti topografici* (E. Greco), G. Cerri, *Dioniso* 55 (1984-5), 169, che discutono pure altre localizzazioni antiche.

per fortuna erano già morte. Arriviamo finalmente a Circe: la Circe di Enea era morta a Cartagine, mentre quella di Ulisse era ancora viva ed attiva sulla sua montagna costiera[22]. Enea non poteva non passarle vicino; Virgilio non poteva permettere un incontro tra loro in quei pochi chilometri tra il mondo mitico-filosofico del 6° libro e l'ambiente proto-romano, totalmente nuovo e diverso, degli ultimi sei libri. La soluzione fu una *praeteritio* letterale, di un'eleganza straordinaria:

> quae ne monstra (descritti, 15-20) pii paterentur talia Troes
> delati in portus, neu litora dira subirent,
> Neptunus uentis impleuit uela secundis
> atque fugam dedit et praeter uada feruida uexit (7.21-4).

Ma quel modo di evadere dal problema letterario-geografico non era da riprendere una seconda volta (anche se Ovidio, *nimium amator ingenii sui*, l'avrebbe fatto[23]). Solo due volte Virgilio importa episodi dalle avventure di Ulisse direttamente nella storia di Enea:

(i) Scilla e Cariddi: avvertito da Eleno dei pericoli, Enea evita lo stretto, senza molta difficoltà. Virgilio descrive vortice e scoglio; le navi fanno rotta a sinistra; Enea poi conforta i suoi col pensiero che hanno già "superato" i pericoli dello stretto (1.201), e Giunone lamenta: "che mi giovarono le Sirti, *quid Syrtes aut Scylla mihi, quid uasta Charybdis profuit?*" (7.302-3)[24]. Enea non è un eroe creato per le avventure: né timido né debole, ha però la sua *dignitas* da *princeps* romano che sminuisce l'aspetto fisico delle sue avventure (ed enfatizza qualche momento di farsa, come 6.412-4)[25] e lo distingue da Ulisse, alienandogli nello stesso tempo la simpatia di tanti lettori moderni, ignoranti delle regole del *decorum* letterario e sociale.

---

[22] Ps. Es. *Teog.* 1011 (v. T.J. Cornell, *PCPhS* 21 (1975), 21, *EV* s.v. *Circeo* (Cancellieri), Strab. 5.3.6., H. Boas, *Aeneas' Arrival in Latium* (Amsterdam 1938), 40-1; per altre localizzazioni v. *ead.*, 42-3.

[23] Quint. 10.1.88, cfr. Sen. *Contr.* 2.2.12; cfr. Horsfall, *CJ* 74 (1979), 330.

[24] Cfr. cap. 6, p. 101s.

[25] Cfr. cap. 1, p. 26, cap. 1, n. 29 (Griffith), R.G.M. Nisbet, *Aeneas Imperator*, *PVS* 17 (1978-80), 50-59.

(ii) Buone informazioni e navigazione efficiente eliminano i pericoli dello stretto; arrivati sotto l'Etna, i Troiani si trovano nel territorio dei Ciclopi, colmo dei pericoli di Ulisse, secondo Diomede (11.263). Quando Enea vuol confortare i suoi (1.201-2), pretende che pure i Troiani abbiano superato lo stesso pericolo: *uos et Cyclopia saxa experti* (v. n. 24). Dei Ciclopi, i Troiani non avevano sentito nulla dai vari oracoli e profezie; ma di nuovo Virgilio è costretto dai dati geografici a non scartare l'episodio, e di nuovo adopera una soluzione che non potrà riusare, permettendosi così descrizione, allusione, emulazione senza coinvolgimento diretto. Nei versi 3.655-83 i Troiani vedono e sentono i Ciclopi ma rimangono decisamente fuori pericolo, come nel caso di Circe. Qui, però, Virgilio fa molto di più per suscitare l'interesse, la curiosità, la simpatia del lettore, inventando il suo Robinson Crusoe — il personaggio di Achemenide, casualmente abbandonato da Ulisse tre mesi prima (3.645; cfr. 664: il Ciclope bagna l'occhio distrutto)[26].

Arriviamo adesso ai personaggi "plasmati" da Virgilio. Preferisco non ripetere qui l'elenco (ma cfr. cap. 2, p. 50; per un sommario da me offerto due anni fa, v. n. 5; cfr. pure nn. 4, 31 per altre mie osservazioni fatte di recente sullo stesso argomento), ma aggiungere il nome di Acate, compagno fedele di Enea e personaggio che sembra con ogni probabilità inventato[27]. Per quanto riguarda il problema dell'invenzione nel secondo libro, preferisco esprimermi con estrema cautela: non esiste il minimo accordo generale tra gli studiosi delle fonti di quel libro e, come abbiamo visto[28], non possiamo contare né sull'uso virgiliano diretto del ciclo epico, né sull'indipendenza (o sulla dipendenza) da Virgilio dei poeti greci (Quinto di Smirne, Trifiodoro, Colluto, Nonno) del tardo impero. Androgeo sembra essere inventato; Panto si trova fra i Troiani di Omero (*Il.* 3.146), ma il suo ruolo in Virgilio (*arcis Phoebique sacerdos*, 2.319, cfr. 430) potrebbe essere un'innovazione[29]: quando porta ad Enea i Penates di Troia (2.320) richiama l'analogo ruolo svolto pure da

---

[26] V. *EV* s.v. (Cova) con ampia bibliografia, J. Ramminger, *AJPh* 112 (1991), 53-71.
[27] *EV* s.v. (Speranza).
[28] Cap. 2, p. 46s.
[29] DServ. *ad. Aen.* 2.318 e Schol. Hom. *Il.* 12.211 potrebbero suggerire un'origine delfica per il suo sacerdozio.

un personaggio anonimo[30] sulla *Tabula Iliaca Capitolina*, ma dalla concordanza concludo che l'artista della *Tabula* (Theodoros) avesse subito l'influenza dell'*Eneide*. Tra i capi nel Catalogo del 7° libro, Aventino, Ufente, Umbrone mi sembrano essere personaggi "plasmati"[31], almeno per l'epoca troiana (c'è un Aventino tra i re di Alba Longa), come pure, con ogni probabilità, Numano Remulo e Volcente (9° libro), Drance e forse l'ambasciatore Venulo[32] (11°), nonché, a parte il ruolo narrativo derivato dal 10° dell'*Iliade*, Niso ed Eurialo. Il patronimico di Niso, Hyrtacides, viene usato da Virgilio in una maniera così confusa[33] da lasciarmi più che mai convinto che Virgilio abbia "plasmato" il personaggio ma che si sia poi stancato nell'invenzione dei dettagli circostanziali. Virgilio ha bisogno di personaggi significativi da contrapporre come sacrifici tragici alla vittoria troiano-romana[34]; Pallante, figlio di Evandro, nipote secondo Dionigi (1.32.1), viene spostato da un'altro gruppo di leggende (quelle di Ercole)[35]. Di Camilla non dico qui nulla; alla mia dimostrazione che il personaggio è davvero plasmato (n. 5) non c'è stata replica finora[36].

Virgilio avrà ereditato la leggenda di Enea in Italia in una forma, mi sembra, abbastanza arida ed esile. La versione in Dionigi (1.53-65 passim) conferma l'impressione. Né Ovidio (*Met.* 14.441-511), né l'autore dell'*OGR* aggiungono molto. Per caso sappiamo che Tirro, capo dei pastori del re Latino (7.485-6), è personaggio tradizionale[37]; ma non esistono testimonianze atte a suggerire che Virgilio avesse la possibilità di trovare un buon numero di personaggi secondari già coinvolti nella

---

[30] *JHS* 99 (1979), 39, 103 (1983), 147 con n. 32.

[31] Ingenua ed infondata l'obiezione di T.P. Wiseman *JRS* 79 (1989), 130 alla mia analisi (*BICS* Suppl. 52 (1987), 8) delle fonti del catalogo. Non avendo argomenti a sostegno della sua critica, non ce ne offre. La mia "very reductive analysis" (analisi molto minimizzante) si basa su più di vent'anni di studio concentrato.

[32] Malgrado, direi, l'osservazione (poco convincente) di Servio: *alii tradunt* che fosse un re di Lavinio.

[33] v. *EV* s.v. *Ippocoonte* (Polverini), *Irtaco* (Annibaldis).

[34] V. *GR* 34 (1987), 49-50.

[35] *EV* s.v. (Rosivach), Schwegler (cap. 5, n. 10), 1, 375, n. 23.

[36] A. La Penna, *Maia* 40 (1988), 250 accenna soltanto alle mie conclusioni sul padre di Camilla.

[37] Cfr. Dion. Al. 1.70.2.

leggenda di Enea, già corredati di genealogie, ruoli, fatti bellici, e così via. Osserva DServio a 9.581 *sed incertum est ex qua recondita historia Arcentem*[38] *istum induxerit.* Il chiosatore non capisce bene i metodi di Virgilio nel combinare, con molta fatica, piccoli dettagli di origine molto diversa, quasi sempre letterari e spesso proprio eruditi, nel "plasmare" un nuovo personaggio: la novità del personaggio così creato rimane in ombra perché tutto — la storia ricreata (p.es.) secondo fonti antiquarie, la genealogia piena di nomi altisonanti con qualche accenno omerico od erudito, il nome stesso, pescato da Omero o dalla storia romana o pure altrove — tutto ciò, ripeto, che contribuisce alla formazione di un personaggio "plasmato" non è innovato ma ereditato, a parte la volontà di creare quell'essere nuovo, come Camilla.

Il sistema funziona abbastanza bene, normalmente: nella "veste inconsutile" — una metafora mia non nuova (*Athen.* 1988, 37) per descrivere la tessitura narrativa dell'*Eneide* — manca talvolta un punto. Ad *En.* 10.747 Servio annota: *nam quis sit Troianus, quis sit Rutulus ignoratur*[39]; in questa confusione, una tendenza generale dell'onomastica virgiliana ci aiuta: nomi greci, personaggi troiani, nomi romani, personaggi italici[40]. È stato già osservato da Macrobio (5.15.6ss.) che Virgilio non aveva un gusto preciso, pignolo, economico nel sistemare l'onomastica della sua epopea. Manca la sequenza; e mentre in Omero tutti i condottieri dei cataloghi riappaiono nei combattimenti, *Maro uester anxietatem huius obseruationis omisit*[41].

Virgilio si è creato la necessità di inventare quasi *ex nihilo* tutto un mondo eroico nuovo nei libri 7-12: quel mondo non può contenere solo personaggi di prima — o di seconda — fila. Combattimenti di tradizione omerica hanno bisogno di personaggi inferiori, come vittime, come scudieri, come assistenti e portabagagli[42]. Inoltre, Enea arriva alle foci del Tevere con un numero molto ridotto di compagni; secondo le

---

[38] Ugualmente perplessa l'*EV* s.v. *Arcente* (Parisi).

[39] M.M. Willocock, *PCPhS* 29 (1983), 93-7.

[40] C. Saunders, *TAPA 71* (1940), 542, Willcock (n. 39), 96-7, Pericolosa e fuorviante la discussione in A. Montenegro Duque, *La onomastica de Virgilio* (Salamanca 1949).

[41] Cap. 6, p. 94.

[42] *GR 34* (1987), 48-9.

esigenze del realismo, per combattere contro quasi tutta l'Italia centrale[43] dovrà trovarsi degli alleati: gli Etruschi svolgeranno quella funzione, insieme con qualche Arcade e qualche Siciliano[44]. Virgilio dovrà trovare nomi e dettagli per suscitare l'interesse del lettore, per tutti, sia troiani sia loro alleati o loro nemici italici. In Omero, i Troiani avevano alleati per resistere alle milleduecento navi greche. Pure nel poema di Licofrone Enea si alleò sia con Ulisse che con gli etruschi Tarconte e Tirseno[45]. Ma inventare, creare, "plasmare" due schiere intere di guerrieri opposti, con nomi, antenati e vari particolari era una vasta impresa. Ho indagato un po' un altro aspetto del problema (*GR* 34 (1987), 51-2): per il viaggio da Troia in Italia, Enea doveva già avere dei compagni con nomi, eccetera; soprattutto nel libro dei giuochi, era necessario mettere insieme una quantità adeguata di partecipanti che potessero interessare il lettore. Virgilio adopera la leggenda, la storia, la genealogia romana (e siciliana), per scovare almeno la maggior parte dei nomi[46]. Ma vorrei di nuovo insistere sul fatto che Virgilio non riprende sistematicamente, né con molto interesse od attenzione, i compagni di viaggio e gli atleti del 5° libro. Alcuni sì (Niso ed Eurialo in particolare); altri, saltuariamente; i restanti, decisamente no. E perciò tanto più di fatica nell'inventare nomi e storie per i suoi guerrieri. I critici antichi hanno notato, come abbiamo visto, qualche difetto formale; i moderni ne hanno esteso l'elenco[47]. Ma la rarità dei passi dove Virgilio ha effettivamente "saltato un punto" è una grande testimonianza della sua grinta ed attenzione, e delle lunghe ore in biblioteca o nello studio. Omero poteva offrirgli l'ossatura degli ultimi sei libri; la "carne" invece era da "plasmare", coll'aiuto di fonti non molto adatte all'impresa.

Per il lettore serio di Virgilio, l'invenzione (manca una voce nell'*EV*) è un concetto paradossale: sì, certo, Virgilio inventa, ma poi fa tutto per nascondere le sue tracce; è capace di originalità mitologica (v. cap. 2, p.

---

[43] Cfr. *En.* 12.230-3.

[44] Cfr. *En.* 9.583-5, 10.239, 397, 12.518.

[45] Lic. *Alex.* 1238ss., *GR* 34 (1987), 49.

[46] Saunders (n. 41), 537-55.

[47] La voce *Discordanze* nell'*EV* è piuttosto debole, v. M.M. Crump, *The Growth of the Aeneid* (Oxford 1920), 88-96 e cap. 6, p. 94.

49s), di innovazioni pure nell'ambito delle varianti nella trama (v. cap. 2, p. 50), ed è ben conscio dei difetti delle sue fonti, soprattutto negli ultimi sei libri: ma quando inventa, o per preferenza o per necessità, lo fa molto discretamente e con finezza erudita, non coll'orgoglio della nuova creazione, bensì con solida competenza bibliografica[48], secondo le norme alessandrine, con lo scopo di essere riconosciuto quale riscopritore di dettagli rari od inventore di novità quasi irriconoscibili come tali. Non c'è proprio spazio per i pregiudizi tardo-romantici sull'originalità dei Romani!

---

[48] V. Longin. 2.2. con *Athen.* 66 (1988), 50-1.

5. Πάντα ῥεῖ: il rinnovamento del mito

Non intendo affatto riaprire in questo capitolo discussioni generali sulla natura del mito greco-romano, né riaffermare le mie posizioni, dichiarate fin troppo esplicitamente nel primo capitolo di "Roman myth and mythography". Uno dei primi guru degli studi mitologici moderni in Francia affermò che tutte le versioni esistenti di un determinato mito avessero uguale valore nello stabilire il significato globale dello stesso mito. Tale idea ha esercitato molta influenza, quasi totalmente nociva; continua ad echeggiare, p. es. in certe recensioni divulgative, uscite di recente, di libri popolari sul mito antico[1]. Preferisco mantenere una valutazione più equilibrata delle fonti, secondo la loro età e funzione, tenendo conto dei loro rapporti, meriti, difetti e variazioni. G.S. Kirk, studioso rinomato della mitologia greca, nel suo opuscolo "The nature of Greek myths" (Harmondsworth 1974) parla (110 = *La natura dei miti greci*, Laterza 1977, 95) della "consistency", la compostezza del mito greco, del suo alto grado di sistematicità, del concetto della versione "corretta"; d'altra parte, una carissima amica, anch'ella specializzata nello stesso campo, Christiane Sourvinou-Inwood, ha osservato di recente "les mythes n'ont pas d'essence fixe"[2], non hanno un'essenza stabile. Vedremo tra poco che tra tali posizioni polemiche trovo nei miti virgiliani una vera "via media", e nei testi mitografici antichi un accordo piuttosto coerente sulla variabilità del mito[3].

[1] Cfr. *BICS*, Suppl. 52 (1987), 11.
[2] *Métamorphoses du mythe en Grèce antique*, ed. C. Calame (*Religions en perspective* Genève 1988) 167.
[3] Cfr. DServ. *ad Aen.* 3.119 *quamvis diversis locis alias opiniones aliorum secutus poeta de diis penatibus diversa dixerit.*

Conosco alcuni studi ampi ed abbastanza recenti sull'innovazione mitologica in Omero[4]; Omero, per esempio, altera dettagli in miti adoperati con scopo paradigmatico, per aumentare il loro effetto esemplare: *Il.* 24.602 — Niobe si mette a mangiare dopo la morte dei figli. Spesso egli racconta *en passant* dei miti, accentuando ed enfatizzando certi dettagli per spiegare e giustificare l'azione umana. Chi fu l'insegnante di Achille? Chirone il Centauro (*Il.* 11.831-2). Ma in 9.485-95 Fenice, perorando la causa a favore di Agamennone e la conciliazione, pretende di esserlo stato lui stesso, e che, per tale motivo, Achille dovesse sentirsi disposto ad accogliere le sue preghiere. Omero, intendo dire, altera per motivi retorici: per una grande quantità di esempi simili, specialmente la storia di Meleagro raccontata per esteso nel nono libro sempre da Fenice, mi riferisco agli articoli citati nella nota (4). Ci sono pure altri casi nei quali egli mira a sorprendere i suoi ascoltatori, inserendo una novità od alterando un particolare: l'alterazione consente, inoltre, al poeta di raccontare una seconda volta qualche bell'episodio amato dagli ascoltatori. Erodoto (2.53) parla di Omero ed Esiodo come οἱ ποιήσαντες θεογονίην Ἕλλησι, i poeti che hanno creato la genealogia degli dei per i Greci (ma v. p. 91s.; almeno per Latino ps. Es. *Teog.* 1013 lo fece in modo tutt'altro che permanente). Ma in altri casi Erodoto riconosce le varianti mitologiche[5] introdotte con intenzione politica e polemica: ἐγὼ δὲ περὶ μὲν τούτων οὐχ ἔρχομαι ἐρέων ὡς οὕτως ἢ ἄλλως κως ταῦτα ἔγενετο (1.5). Nel secondo libro (116), egli suggerisce che Omero abbia conosciuto, ma respinto, la storia della visita di Elena a Proteo in Egitto. Tucidide (1.11.2) sostiene che i poeti hanno falsificato la verità sulla guerra troiana, anche se Omero ha qualche valore come fonte storica (1.3.2). Col passare del tempo le cose si complicavano, inevitabilmente, soprattutto quando, in età ellenistica, si son dati i primi casi chiari ed espliciti di invenzione mitologica apprestata deliberatamente

[4] M.M. Willcock, *CQ* 14 (1964), 141-54, B.K. Braswell, ib. 21 (1971), 16-26 (cfr. C.M. Bowra in *A companion to Homer*, ed. A.J.B. Wace e Frank H. Stubbings (London 1963) 71-2; cfr. adesso J.N. Bremmer ap. Calame (n. 2), 37-51, M.M. Willcock *HSCPh* 81 (1977), 41-53, S.R.C. Swain, *CQ* 38 (1988), 271-6.
[5] Cfr. Stes. *ap.* Plat. *Phaedr.* 243a = fr. 192 *PMG* Page; cfr. Pind. *Ol.*1.36.

come sfida o divertimento letterario[6]. È facile trovare nei manualetti di Partenio o di Apollodoro[7] casi nei quali il compilatore si trova costretto ad elencare le versioni alternative.

Torniamo di nuovo a Virgilio, un poeta che non ha, come abbiamo visto (e come era noto agli antichi, n. 3 sopra, cap. 6, *passim*), un gusto per l'ordine e la coerenza, e che approfitta della libertà, ormai quasi convenzionale e "tradizionale", di variare, di inventare e di scegliere (o non scegliere)[8] tra varianti dove come e quando vuole, per effetto, per comodità, per gusto di erudizione, per provocare i lettori, o per altre ragioni compositive. Certi elementi però rimangono immutabili[9]: mentre i luoghi della morte di Anchise o dell'incendio delle navi troiane vengono alterati secondo gli autori e la necessità politica, poetica o narrativa, Enea, in epoca romana, muore sempre sulle sponde del Numico[10]; la scrofa, nella leggenda di Enea, ha sempre trenta porcellini, ma il suo ruolo — come il significato dei piccoli — viene spiegato in diversi modi[11].

Abbiamo già visto (pp. 49ss., 67ss.) che Virgilio giuoca col mito come — per restare con gli animali — un gatto con un topolino, nei modi più vari, spesso con disinvoltura e talvolta proprio per scherzo. Altera il mito parzialmente o totalmente, lo inventa, lo inventa e pretende di aver fatto il contrario (pp. 68, 117ss.). Per il poeta, il mito è come l'argilla per il vasaio: può diventare o una statua di Venere o un cantaro. Di questa estrema plasmabilità letteraria del mito abbiamo osservato parecchi esempi (45ss., 67ss.) e ne osserveremo parecchi altri. Per quanto riguarda le invenzioni rimando al cap. 8 ed ad una mia discussione recente[12].

---

[6] *Athen.* 66 (1988), 32-4.

[7] Partenio 33.1, 34.2, 28.1, Apollodoro (probabilmente di epoca tardo-augustea) *Bibl.*, 1.9.19, 21, Conone *FGH* 26 F1, 40.1, 46.5, 48.1, 37.5, ecc., Diod. Sic. 4.1.1-2, C. Habicht, *Pausanias' guide to ancient Greece* (Berkeley 1985), 143.

[8] Cfr. cap. 6, 93ss.

[9] Cfr. *Vergilius* 32 (1986), 9.

[10] *Ibid.* (n. 9), A. Schwegler, *Römische Geschichte* 1 (Tübingen 1867), 287s., F. Castagnoli, *Lavinium* 1 (Roma 1972), 110.

[11] Horsfall *ibid.* (n. 9), *Antichthon* 15 (1981), 146.

[12] *Athen.* 66 (1988), 31-51; "molto dotto e un po' divagante". A. La Penna, *Maia* 40 (1988), 250, n.; sono grato del complimento, ma mi sento costretto a protestare: l'articolo non è soltanto "un po' " divagante.

Tutti i dettagli mitologici (o quasi tutti) sono in movimento, in qualche modo. Vorrei suggerire, inoltre, che nelle mani di Virgilio molti "fatti" pure di storia e di geografia acquistano una simile fluidità. L'autore domina a tal punto il suo materiale che nelle sue mani molti cosiddetti "fatti" diventano πλάсματα, creazioni o finzioni[13].

Sotto moltissimi aspetti, la critica delle fonti, dei fatti, dei dettagli in Virgilio è ancora da liberare dalle catene di Servio e di Macrobio, dei loro predecessori e coetanei. Le note di questo libro dimostreranno spesso che l'autore legge i chiosatori con insolita attenzione e rispetto[14]: ma la mentalità dello scoliasta antico è da valutare secondo i suoi meriti, non da seguire come una luce fedele nel buio. Un caso famoso ed estremo: secondo Servio (ad *En.* 4.1) e Macrobio (5.17.4) il quarto libro dell'*Eneide* è formato dal terzo di Apollonio: un luogo comune[15] che diventa qui un semplice errore. La versione virgiliana è falsa, ma nei *pectoribus humanis* ha spostato la verità[16] (così Macr. 5.17.6): secondo i sostenitori della castità di Didone dopo la morte di Sicheo, Virgilio non fu che diffamatore e bugiardo[17].

Vale la pena mostrare, a questo punto, come si inseriscono bene in questo quadro delle incertezze e sfumature del poeta "impressionistico" tre aspetti ben definiti della sua indeterminatezza.

(i) Come vedremo tra poco (cap. 6), sono state notate moltissime bugie ed esagerazioni retoriche nelle orazioni virgiliane. Per un tale poeta, intendo dire, diventa assai facile inventare storpiature mitolo-

---

[13] V. p. 93ss. per le conseguenze per lo studio delle "incoerenze". L'indeterminatezza del poeta ridimensiona pure le nostre percezioni degli anacronismi: v. 133ss.

[14] V. *Athen.* 66 (1988), 49-50 per un giudizio negativo sulle loro reazioni alle invenzioni; v. 118ss. per una valutazione molto diversa delle loro osservazioni su *dicitur, ut fama*, ecc.

[15] V. Serv. *ad Buc.* 10.46, *ad Aen.* 5.517,10.104, 11.483, 492, 608, 12.116, 5.426, 517. DServ. *ad Aen.* 1.198, 8.631, Gell. 1.21.7, Macr. 6.2.7, 5.2.4 (v. la nota di Austin a 2.211), 5.9.12, H.D. Jocelyn, *CQ* 15 (1965), 141-2, *En.* 6, ed. E. Norden₄, 366, n. 2, Horsfall, *Athen.* 66 (1988), 35, n. 27.

[16] *En.* 4 ed. A.S. Pease, 65-6, E.L. Harrison, *Classical Views* 33 (1989), 3-4, A. Wlosok, *Acta Antiqua* 30 (1988), 465-8, A. La Penna, *EV* sv. *Didone*, 52.

[17] *Ant. Pal.* 16.151.5-10, Tert. *Nat.* 2.9, *Apol.* 50, Serv. *ad Aen.* 4.36, Hier. *Adv. Iovin.* 1.43, = *PL* 23.286B.

giche per inserirle sulla bocca dei suoi personaggi, dei quali molti sono bugiardi (Highet, cap. 6, n. 59), soprattutto, direi, se subiscono l'influenza, diretta od indiretta, di Giunone[18].

(ii) L'erudizione come sfida, come divertimento, o come mezzo di comunicazione (cap. 3): la scelta di versioni o di varianti di fatti più o meno veri (o noti) diventa così uno strumento delicatissimo per creare un dialogo erudito di estrema raffinatezza tra poeta e pubblico.

(iii) Il linguaggio oracolare, inevitabilmente quasi per definizione oscuro, sembra particolarmente congeniale all'indeterminatezza virgiliana che cerco di definire[19]. Mi limito ad accennare ad alcuni casi particolari.

(i) Cominciamo coll'argomento dell'*antiqua mater*, la terra natia dei Troiani, rivelata come la loro meta da Apollo Delio (3.96): l'identificazione dell'*antiqua mater* è lenta e penosa, ma sia l'incertezza[20] che la terminologia[21] sono motivi tradizionali. Nella letteratura della colonizzazione greca (e parliamo di un argomento amatissimo in età ellenistica, n. 21), l'enigmaticità degli oracoli, la perplessità dei colonizzatori, la ri-consultazione delle fonti oracolari, il chiarimento parziale del messaggio originale sono tutti motivi tipici: il chiarimento della confusione dei Troiani nel 3° libro, il ruolo di Apollo, la breve sosta sbagliata in Creta sono tutti elementi convenzionali e tradizionali del genere storico-geografico, e l'oscurità è in sé proprio un'eredità letteraria.

(ii) Più complicata è l'oscurità oracolare (o piuttosto oratoria) della maledizione di Didone a 4.612-20, che dobbiamo valutare sia secondo le aspettative del lettore abituato alla versione "annalistica" dell'arrivo di Enea in Italia che secondo la ristrutturazione totale di quella versione effettuata da Virgilio (cfr. p. 49s.). Didone sa che Enea arriverà inevitabilmente in Italia: *at bello audacis populi vexatus et armis*; in Virgilio i nemici sono i Rutuli ed i Latini, mentre nella "vulgata" (Dion. A.R.

---

[18] Cfr. H.J. Schweizer, *Vergil und Italien* (Aarau 1967), 26-30, V. Buchheit, *Vergil über die Sendung Roms* (*Gymn. Beiheft* 3, Heidelberg 1963), 102-15.

[19] V. il mio studio, "Aeneas the colonist", *Vergilius* 35 (1989), 9-13.

[20] Cfr. Erod. 4.157, Horsfall (n. 19), 12, n. 25.

[21] Terminologia: Isocr., *Archid.* 17, Pind., *Pit.* 5.74, Horsfall (n. 19), 10; *ktiseis* e letteratura: Horsfall (n. 19) 9, F. Cairns *Tibullus* (Cambridge 1979), 74-5; cfr. cap. 7, n. 31.

1.57-9, T. Livio 1.1-2) Latino diventa presto alleato di Enea contro i Latini. *Finibus extorris, complexu auulsus Iuli* (4.616) si rivelerà come una versione colorita degli avvenimenti dei libri nono e decimo: ma *extorris* normalmente significa, osserva Murgia[22], proprio "esiliato". Da dove? Dall'Italia? Il lettore non può pensare altro, mentre di fatto Enea abbandonerà il Lazio per un viaggio breve in Etruria, lasciando Ascanio nei *castra* sul Tevere. *Auxilium imploret uideatque indigna suorum/funera*: l'aiuto verrà offerto da Evandro; le morti saranno soprattutto quelle di Pallante, di Niso e di Eurialo, personaggi introdotti da Virgilio nella storia di Enea. Il lettore innocente (non dico impreparato: parlo del lettore augusteo che srotola il 4° libro per la prima volta) non può sapere che, in Virgilio, Latino sarà l'alleato non di Enea ma di Turno, che gli Etruschi non aiuteranno Turno, come fanno in Tito Livio (1.2.3), e dell'eventuale significato di *suorum funera* non saprà dire nulla di chiaro. *Nec cum se sub leges pacis iniquae tradiderit* è invece meno "sibillino": il *foedus* tra Latino ed Enea compare già nella "vulgata"[23] e non è perciò un'altra grande novità quando viene descritto nel 12°. L'aggettivo *iniquae* è retorico e colorito (ma non molto, v. n. 46). Le parole *(nec) regno aut optata luce fruatur/sed cadat ante diem mediaque inhumatus harena* sono ancora meno oscure e sconcertanti per un lettore attento: si ricorderà della profezia fatta da Giove a Venere, che Enea sarebbe morto tre anni dopo il suo arrivo in Italia (1.258-60); si ricorderà pure di un dettaglio invariabile (v. p. 79) della leggenda di Enea — che egli sarebbe scomparso durante una battaglia presso il fiume Numico, assunto misteriosamente in cielo (1.259, 12.795). *Inhumatus* fa pensare al destino della salma di Priamo (2.557; cfr. p. 51): ma il famoso "lettore attento" sa che Enea non subisce la disgrazia di non essere sepolto (v. la nota di Nisbet e Hubbard ad Or. *Carm.* 1.28.23), e che non ha bisogno di una tomba perché verrà divinizzato[24].

(iii) L'altra versione dettagliata del destino di Enea è offerta dalla Sibilla all'inizio del 6° libro: i Troiani arriveranno nel Lazio *sed* (86) *non et uenisse uolent. Bella, horrida bella/ et Thybrim multo spumantem san-*

---

[22] *CPh* 82 (1987), 53. V. adesso J.J. O'Hara, *Death and the optimistic prophecy* (Princeton 1990).

[23] T. Liv. 1.1.9; cfr. 1.1.6, Dion. Al. 1.59.1-2.

[24] Ma v. Dion. Al. 1.64.5, *BICS* Suppl. 52 (1987), 17.

guine cerno. Si ricorderà che Virgilio ha spostato l'approdo dei Troiani dal *litus Laurens* al Tevere (cfr. p. 49 su 1.2), non senza precedenti, ma in modo abbastanza sconcertante: il Tevere insanguinato può quindi aver lasciato perplesso qualche lettore. L'identificazione di Turno, figlio di una divinità (Iuturna) come *alius Latio iam partus Achilles,/ natus et ipse dea* (89-90) non avrà creato, mi sembra, difficoltà; le parole *non Simois tibi nec Xanthus... defuerint* (88-9) si spiegheranno alla fine come la presenza di Tevere e Numico, *Dorica castra* (88) come l'esercito dei nemici latini[25]. Il ruolo di Giunone come ispiratrice (90-1) di tutta l'opposizione ai Troiani è chiaro fin dai primi versi (1.8 *quo numine laeso*) dell'epos, anche se di ciò mancano precedenti in altre versioni della storia di Enea[26]. *Cum tu supplex in rebus egenis / quas gentis Italum aut quas non oraueris urbes* (6.91-2) è, invece, molto più difficile. Nella "vulgata", come abbiamo visto, Enea è già, o diventa presto alleato di Latino[27]; nell'*Eneide* Latino offre la sua cooperazione nel 7° (260-3), come nell'8° fa Evandro (470-519), il quale spiega come gli Etruschi stiano proprio aspettando un *externus dux*[28]: Enea avrà alleati senza chiedere, senza *orare* nessuno[29]. Evandro offre l'aiuto di suo figlio Pallante, mentre gli Etruschi offrono le loro truppe. La Sibilla spaventa e confonde. Il nuovo matrimonio (6.93-4) non crea problemi per il lettore: sarà quello tra Enea e Lavinia (T. Liv. 1.1.6, 1.9, 2.1, ecc.). Rimane un'ultima difficoltà: *uia prima salutis/, quod minime reris, Graia pandetur ab urbe* (96-7). La presenza di colonizzatori greci in Italia nell'epoca mitica è un'idea convenzionale e tradizionale, ma l'alleanza

---

[25] Ottimo l'articolo di W.S. Anderson, "Vergil's second Iliad", *TAPA* 88 (1957), 17-30; v. adesso Henry (cap. 2, n. 136), 126-7, F. Cairns, *Virgil's Augustan epic* (Cambridge 1989), 118-28.

[26] V. le belle osservazioni di D.C. Feeney, "The reconciliations of Juno" *CQ* 34 (1984), 179-94.

[27] Schwegler (n. 10), 286-7, J.-C. Richard, in *Hommages R. Schilling* (Paris 1983), 403-12.

[28] Una mia nota sul motivo degli "Externi duces" è di prossima pubblicazione in *RFil*.

[29] Forse esagerate le osservazioni di Murgia (n. 22), 54, cfr. 52: "Prophecies and curses in epic always come true, though not necessarily as the speaker or hearer understood them". In *oraueris* non c'è una scintilla di verità!

tra troiano e greco sconcerta: Virgilio innova, trasferendo Evandro dal suo posto normale, due generazioni prima della guerra troiana, ad un'epoca più comoda per la struttura dell'*Eneide* (p. 50).

Vorrei proporre adesso alcuni esempi dell'indeterminatezza virgiliana in tre campi: la mitologia, la geografia e la storia; tra le mani del poeta, i "fatti" convenzionali subiscono metamorfosi straordinarie. Delle scelte e delle variazioni mitologiche abbiamo parlato (p. 47ss.) e ne discuteremo di nuovo nel contesto delle cosiddette "incoerenze" (p. 93ss.): i critici antichi osservano spesso, e giustamente, che il poeta alterava *pro persona pro loco pro causa*[30]. Vorrei concentrarmi su un unico esempio: la caratterizzazione ambigua di Enea stesso[31] e dei Troiani nella mitografia.

In quanto frigio, Enea viene accusato di essere — inevitabilmente — amante del lusso ed effeminato (4.215-7,9.617-20, 11.484,12.99); tali accuse (che si avvicinano alla verità solo nel caso dell'inverno trascorso con Didone, 4.193, 261-4) sono confutate dal coraggio, dall'energia, dalle molteplici virtù dei Troiani e di Enea stesso[32], quali appaiono non nelle parole ma nell'azione dell'*Eneide*. In un dialogo con Venere (5.808-10), Nettuno ammette di aver dovuto salvare Enea da Achille; Virgilio allude al libro 20 dell'*Iliade* (158ss.): è un episodio imbarazzante, che il poeta, non potendo semplicemente scartarlo, perché parte integrante del *curriculum vitae* dell'eroe[33], minimizza, inserendolo in un dialogo tra due divinità ben disposte. Il combattimento omerico tra Enea e Diomede (*Il.* 5.166ss.), ugualmente infelice per il troiano, come egli stesso ammette (1.96-8), viene "riscritto" dal vincitore nel suo discorso riportato da Venulo: in questa versione antiomerica ed altamente retorica, le lodi dell'etolo acquistano un valore particolare

---

[30] Tib. Don. 1.6.7-8G; v. p. 102.

[31] V. Cairns (n. 25), 125-7, Horsfall *EV* s.v. *Numano Remulo, RFil* 117 (1989), 57-61, *Vergilius* 35 (1989), 17-8.

[32] R.P. Winnington-Ingram, *PVS* 11 (1971-2), 61-74.

[33] I riferimenti espliciti nel testo dell'*En.* all'*Iliade* — non parlo di imitazioni o di allusioni letterarie, ma proprio di riferimenti alla fonte più autorevole per la guerra troiana — non sono stati studiati sufficientemente: per un primo tentativo, v. *Vergilius* 32 (1986), 16-7. Sull'ampio materiale mi riservo di pubblicare tra poco un saggio più esauriente. Per l'*Od.*, v. p. 69s.

(11.282-4). Mentre la Sibilla (6.93-4) parla dei pericoli legati al matrimonio tra Enea e Lavinia (p. 83), i nemici di Enea insistono piuttosto
sulla somiglianza tra lui e Paride, bandito ed adultero *par excellence*
(4.215, 262, 7.363-4, 9.138-9, 11.484). Didone infuriata mette in
dubbio pure il ruolo di Enea come salvatore del padre e dei *Penates* di
Troia (4.598-9) *quem secum patrios aiunt portare Penates, / quem subiisse
umeris confectum aetate parentem*. Ed il fatto che i Troiani sono stati già
una volta sconfitti può essere interpretato come presagio di una seconda
sconfitta (9.599, 617, 635, 11.402). Voglio dire, la storia "tradizionale"
di Enea non è da evitare né da cancellare: è piuttosto insita già nel primo
ritratto dell'eroe, quello autorevole, omerico. Ma un guerriero siffatto
non sarebbe mai stato adeguato come personaggio focale di un epos
augusteo, né degno antenato leggendario del *princeps*.

Ingegnosamente, Virgilio riesce bene a smorzare gli influssi negativi
della tradizione. Già prima dell'arrivo di Enea a Cartagine, Didone
aveva sentito di lui come guerriero (1.488); sugli affreschi del tempio di
Giunone Enea vede se stesso: *se quoque principibus permixtum agnouit
Achiuis*. Nel 5° libro, come secondo premio nella corsa delle navi Enea
offre un corsaletto *quam Demoleo detraxerat ipse / uictor apud rapidum
Simoenta sub Ilio alto* (260-1). Discretamente, Virgilio inventa una vittoria extra-canonica per il suo eroe, introvabile nel testo di Omero[34].
Miseno, trombettiere di Ettore, dopo la morte del suo principe seguì
Enea, *non inferiora secutus* (6.170; cfr. 5.190). Il contrasto (o l'equilibrio) Enea-Ettore esisteva già in Omero[35]: erano cugini e cognati[36], l'uno
destinato ad una morte eroica, l'altro alla sopravvivenza. Malgrado certi
passi dell'*Iliade* (n. 35), a livello di eroismo e di nobiltà non sono proprio
pari. Nondimeno, l'associazione tra i due viene enfatizzata ripetutamente da Virgilio, con lo scopo di esaltare Enea accostandolo al paladino
impareggiabile. Di nuovo, Virgilio attribuisce l'equiparazione all'ex-
nemico Diomede (11.289-92); il passato altamente eroico e vittorioso

---

[34] V. la mia discussione in *Vergilius* (n. 33); cfr. cap. 2, n. 135 per la presa di Arisba,
città alleata; preferisco pensare non ad una raffinatezza retorica ma in questo caso ad un
semplice *lapsus*.
[35] *EV* s.v. *Enea*, 2.221-2, *CQ* 29 (1979), 372: v. *Il.* 5.467, 6.77; cfr. 20.158.
[36] *En.* 12.440: cfr. *Vergilius* (n. 33), 17, con. n. 53.

dell'oratore chiaramente rafforza il valore retorico del complimento. Deifobo riconosce che Enea ha fatto tutto il possibile durante e dopo la caduta di Troia (6.509); sia Ettore stesso (2.291) che Andromaca[37] stimano il coraggio di Enea. Mi sembra però significativo che in particolare l'ex-nemico, l'ex-vincitore Diomede esalti le qualità belliche di Enea (v. inoltre 8.15-7, 10.28-9, 11.245, 255-7). Virgilio adopera tutte le tecniche della retorica per contrapporre una nuova valutazione del guerriero Enea ai "fatti" della versione omerica. L'Enea della tradizione prosastica[38] che sviluppa alcuni accenni omerici[39] ad un'ostilità tra le famiglie di Priamo e di Anchise, Vi e di Anchise, Virgilio semplicemente non lo riconosce: è una versione politica, polemica, sensazionalizzata[40]. Nell'Eneide, invece, la giustificazione divina ed umana della fuga di Enea è incontestata; la polemica dei nemici (sopra, 84) rispecchia la loro malizia: così, definire l'Enea virgiliano come desertorem Asiae (Turno, 12.15) caratterizza piuttosto l'oratore stesso. Il mito non è ancorato, zavorrato, immobile: ondeggia, piuttosto, sbatacchiato da varianti, da polemiche, dalla retorica.

Passiamo brevemente alla storia romana, anch'essa non totalmente stabile e solida.

Non parlo qui degli omnia iam uulgata, della scelta degli eroi nella Heldenschau, né della selezione degli episodi sullo scudo di Enea nell'ottavo, né della sequenza cronologica in quei due passi, né dei pretesi legami (o delle pretese indipendenze) tra loro[41]. Vorrei però sottolineare (i) che il tum di 1.291 mi sembra escludere che il Caesar...Iulus di 286-8 possa essere Augusto, malgrado gli spoliis orientis di 289 (v. E.J. Kenney, CR 18 (1968), 106) e (ii) che il Caesar di 6.789 debba essere Giulio Cesare (come a 1.286-8 il discendente diretto ed autentico di Iulus): se attribuiamo invece ad Augusto i versi 6.789-90 la sequenza hic

---

[37] 3.343, come fanno sia Evandro (8.470) che il dio Tiberino, 8.37.

[38] BICS Suppl. 52 (1987), 14; v. EV loc. cit. (n. 35).

[39] Cfr. n. 35, CQ 29 (1979), 372-3.

[40] Che spesso storpia le percezioni di Servio e di Tib. Claud. Don.: v. En. 2 ed. Ussani, xii-xviii.

[41] Cito ex. grat. tre contributi recenti e sostanziosi: D.C. Feeney, PCPhS 32 (1986), 1-24, A.J. Woodman e P. Grimal in Studies in Latin literature and its tradition in honour of C.O. Brink, PCPhS Suppl. vol. 15 (1989), 1-13, 132-45 con CR 40 (1990) 448).

(789)...*hic* (791), riferita ad un unico personaggio, impone una staticità improbabile e sgradevole alla parata degli eroi. Certo, il tono di Virgilio, soprattutto nella parata, non è ininterrottamente da panegirico: egli critica la brutalità di certi personaggi e non sopprime episodi imbarazzanti[42]. La storia leggendaria dell'Italia, abbiamo visto, è stata inventata o riscritta liberamente (49s.): a parte i 333 anni di *En.* 1.265-72 (62), Virgilio sposta la data tradizionale della fondazione di Cartagine dalla fine del nono secolo a.C. (che non quadra con le sue intenzioni per Didone) all'epoca troiana[43]. Forse attribuisce per errore ad Anco Marzio la politica "democratica" di Servio Tullio (v. Norden a 6.815-6). Il trionfo poco ortodosso del 29 l'abbiamo già discusso (8.720, p. 44); i *ludi Apollinares*, connessi da Virgilio con Apollo Palatino (6.70), appartengono invece al vecchio tempio vicino al Teatro di Marcello[44]. Parleremo tra poco (91) delle origini dell'ambiguità nel ritratto virgiliano dell'Italia primitiva, descritta sia come serena che come bellicosa. Nel capitolo 14 di *Cristo si è fermato a Eboli*, Carlo Levi interpreta la seconda metà dell'*Eneide* come la resistenza della campagna contro la città, dei contadini contro l'esercito, del Sud contro Roma, della gente contro il potere. Sono delle belle pagine commoventi, perfettamente comprensibili all'epoca in cui fu scritto il libro. Una volta era pure molto diffusa un'interpretazione dell'*Eneide* come epopea della conciliazione tra Roma e l'Italia, instaurata dopo la guerra sociale ed incoraggiata da Augusto stesso[45]. Certo, i termini del trattato tra Giunone e Giove nel 12° sono, sotto molti aspetti, estremamente favorevoli verso gli Italici[46]; Virgilio stesso esclama (v. cap. 7, n. 64): *tanton placuit concurrere motu, / Iuppiter, aeterna gentis in pace futuras* (12.503-4). L'amarezza sottesa a queste parole è evidente. Negli ultimi sei libri dell'*Eneide*, gli antenati dei Romani combattono, innegabilmente, contro gli antenati degli Italici — e vincono. L'accordo divino del 12° avviene soltanto dopo una

---

[42] Su 8.657, v. la mia discussione, *BICS* Suppl. 52 (1987), 65.

[43] *EV* s.v. *Cartagine*, 681-2, G. D'Anna, *Virgilio* (Roma 1989), 188-9.

[44] Platner-Ashby (cap. 2, n. 1), 15-6.

[45] Cairns (n. 25), 123, *EV* 3,48 (Bernardi), R. Syme, *Roman Revolution* (Oxford 1939), 463.

[46] Horsfall, *RFil.* 117 (1989), 60-1, *Vergilius* 35 (1989), 22-5.

guerra terribile; del pari, l'accordo di Giunone e Giove sui rapporti tra Roma e Cartagine (1.281) accenna probabilmente ai riti religiosi celebrati nel 207 a.C., solo dopo undici anni di sofferenze atroci per l'Italia[47].

Com'è stato spesso osservato (cfr. cap. 7, n. 38), lo scoppio della guerra nel 7° allude in tanti modi agli orrori delle guerre civili del 49-30: *hac gener atque socer coeant mercede* (= "perdita") *suorum* (7.317). La polivalenza allusiva impedisce un'eccessiva chiarezza nelle interpretazioni storiche e nei giudizi morali. Nel sesto, Virgilio ammonisce (832-5) sia Giulio Cesare che Pompeo; ma la narrazione nel 7° discolpa Enea completamente da ogni parte di responsabilità per lo scoppio della guerra in Italia. Non per la prima volta, scopriamo un Virgilio che abbozza strutture immaginarie ed intellettuali senza incoraggiare il lettore ad andare a fondo o a trarne tutte le conseguenze possibili. Il poeta ci invita ad interpretare quasi tutta la storia romana, ma non ci provoca a trovare, neppure a cercare — con eccessi di zelo o rigore pedantesco — coerenze e continuità nella sua visione[48].

Potremmo divertirci con la matita rossa poco appuntita di Igino fr. 9; il critico mi sembra più intelligente nel fr. 7*GRF* (= Gell. 10.16.8) quando osserva *quoniam poetae ipsi quaedam* κατὰ πρόληψιν *historiae dicere ex sua persona concedi solet*[49]. Per il poeta, come vedremo (cap. 9), l'anacronismo è sia uno strumento che una conseguenza della continuità storica tra mondo troiano e mondo augusteo. La continuità genealogica e, se vogliamo, il simbolo più concreto di quell'unità storica (cfr. cap. 7, n. 51): l'albero genealogico che risale da Augusto attraverso Giulio Cesare ad Enea e Venere affonda le sue radici nell'*Eneide* stessa[50]. I lettori di Virgilio devono perciò, sentirsi in grado, in un certo senso, di immedesimarsi col mondo di Enea, almeno come esso viene raffigurato nell'epos. A tale scopo l'anacronismo è essenziale: modernizza l'ambiente nel quale Troiani e Latini vivono. Inoltre, per il poeta sarebbe

---

[47] V. Feeney (n. 26); p. le guerre puniche nell'*En.*, v. *PVS* 13 (1973-4), 1-2, Buchheit (n. 18), 54-8, 173-89.

[48] Henry (cap. 2, n. 136), *passim*, Horsfall, *Prudentia* 8 (1976), 73-89.

[49] *EV* s.v. *Anacronismi*, Rehm (cap. 1, n. 3), 85.

[50] *BICS* Suppl. 52 (1987), 22-3, *Vergilius* 24 (1986), 10-11.

stata una fatica terribile di ricerca archeologica, antiquaria, letteraria, epigrafica evitare gli anacronismi materiali; sarebbe stata una fatica pure per il lettore, annoiato da un realismo minuzioso. La copiosa diffusione degli anacronismi genera, s'intende, moltissime incoerenze di storia sociale; le eccezioni, cioè i casi di attenta ricostruzione antiquaria (v. p. es. cap. 7, n. 45), sono talmente rari ed hanno un sapore talmente particolare[51] che mi portano a trarre una conclusione: Virgilio accoglie positivamente le incoerenze di storia sociale, tanto importanti per lui sul piano ideologico e come mezzo per adescare il lettore contemporaneo. I "fatti" archeologici dell'antico Lazio hanno scarsissimo valore poetico!

Passo molto rapidamente alla "plasticità" dei "fatti" della geografia, studiata da me stesso in inglese e dal caro e compianto amico Ferdinando Castagnoli in francese[52]. Sia il porto anonimo sulla costa nordafricana (1.159-69) dove approdano i Troiani, che lo stadio per i giuochi nel 5° (286-90)[53], che pure, come vedremo (cap. 6, 129), il *lucus prope Caeteritis amnem* (8.597-9) hanno subìto vari (e vani) tentativi di identificazione. L'oracolo di Albunea, dove Latino ascolta la misteriosa ammonizione *ne pete conubiis natam sociare Latinis* (7.81ss.), in senso strettamente topografico, è da localizzare (152) al laghetto della Solfatara, nei pressi di Lavinio-Pratica; ma la descrizione contiene elementi che appartengono all'oracolo incubatorio di Drium, vicino al Gargano (153). Le fonti letterarie, religiose, geografiche del passo sono complicatissime e non ci consentono di pensare al testo virgiliano come vera testimonianza dell'esistenza di un oracolo incubatorio nella campagna romana. Virgilio trasloca, come abbiamo visto (41), le colonne d'Ercole dalla Germania in Egitto, attribuendole a Proteo e sposta leggermente la meta del viaggio di Antenore nell'Adriatico, scivolando con eleganza dal Friuli, attraverso Venezia, per finire a Padova[54]. Ai trasferimenti di Metabo da Metaponto a Priverno, di Aleso da Falerii in Campania, di Ebalo da Taranto a Capri accenniamo altrove: *Athen.* 66 (1988), 40: essi implicano una certa leggerezza nella toponomastica. Delle varie inesat-

[51] F.H. Sandbach *PVS* 5 (1965-6), 30, *EV* s.v. *Anacronismi*, 152.
[52] *CRAI* 1983, 202-15.
[53] *EV* s.v. *Drepano*, Castagnoli (n. 52), 203.
[54] L. Braccesi, *La leggenda di Antenore* (Padova 1984), 115-22.

tezze connesse con i templi di Apollo a Roma (cap. 2, n. 95, cap. 7, n. 43) e col lago di Ampsanctus (153) parlo pure altrove. La città di Latino nei libri 7-12 non ha nulla a che fare con la geografia — leggendaria o contemporanea: l'elemento principale è proprio la città di Troia[55]. Il luogo preparato per l'imboscata contro i Troiani nell'11° non è da cercare sul terreno ma nei libri (*EV* 3,142). La descrizione della *katabasis* dell'Averno nel 6° contiene alcuni elementi di tradizione e di erudizione locale[56], ma nell'insieme e nell'essenziale[57] è da vedere piuttosto come uno spostamento della *nekyia* omerica, da tempo localizzata nell'Epiro meridionale, mentre certi dettagli topografici (p.es. 6.138-9) sono luoghi comuni e non hanno valore identificante[58]. Non c'è bisogno di prolungare l'elenco (ma v. n. 52): la prossimità a Roma o a Napoli non diminuisce l'indeterminatezza del poeta. Virgilio localizza gli avvenimenti dei libri 6-12 in un'Italia approssimativa ed impressionistica; mito, storia e geografia subiscono tutti l'imperativo imposto (o almeno la modificazione suggerita) dalla necessità poetica.

---

[55] *EV* s.v. *Laurentes*, 142 (con bibliografia).

[56] *BICS* Suppl. 52 (1987), 7, 9.

[57] V. cap. 8, n. 23, v. l'appendice di C.G. Hardie all'ed. del 6° libro di R.G. Austin, 284-6.

[58] V. la nota di C.G. Hardie a 6.201, nell'ed. di R.G. Austin, Rehm (cap. 1, n. 3) *passim*.

6. Incoerenze

Già sotto Augusto, come vedremo, i critici dell'*Eneide* comincia-
rono ad affilare le matite rosse e blu, per indicare — ed in questo, come
in tante altre cose, andavano sulla scia dei critici di Omero[1] — le
incoerenze nel testo dell'epopea, che il poeta avrebbe certamente tolto,
secondo loro, se fosse sopravvissuto. Da quei tempi in poi, attraverso
Servio, Macrobio e Tib. Claudio Donato, fino ai vari contributi di
Giovanni D'Anna[2] ed al grosso volume di Thomas Berres[3], si è accumu-
lato tutt'un arsenale di arzigogoli, insieme con qualche problema serio.
Certo, l'*Eneide* non ricevette mai la *summa manus* dell'autore[4], quell'ultimo *limae labor* così elogiato dai poeti stessi[5]; e, Virgilio scriveva certo
con un metodo assai particolare (*vita* Svet.-Don. 22-5), che, chiaramente, poteva favorire l'accumulo di incoerenze formali:

[1] *Schol. Graec. in Il*, ed. H. Erbse, *ad Il*. 6, 311; indice s.v. διαφωνία e parole affini, v.
Pfeiffer (cap. 2 n. 4), 69-71, e n. 23. V.S. Costanza in *Mnemosynum (Studi...Ghiselli*,
Bologna 1989), 103-39.

[2] *Il problema della composizione dell'Eneide* (Roma 1957), *Ancora sul problema* (Roma
1961); la voce *Discordanze* nell'*EV* è leggermente deludente.

[3] Th. Berres, *Die Entstehung der Aeneis* (Hermes, Einselschr. 1982); v. i giudizi molto
diversi offerti da W. Suerbaum, *Gnom.* 60 (1988), 401-9 e da me, *CR* 37 (1987), 15-7.
Cfr. inoltre, E.L. Harrison, *PLLS* 5 (1985), 131-64, con le mie osservazioni *CR* 38
(1988), 273.

[4] *Vita* Svet.-Don. 35, con le osservazioni di M. Geymonat, *EV* s.v. l'*Eneide*; *la
problematica ecdotica*.

[5] Or. *ars. poet.* 291 con le note di Rostagni e Brink, F. Cupaiuolo, *Tra poesia e poetica*
(Napoli 1966), 19-42.

«L'*Eneide*, prima abbozzata in prosa e distribuita in dodici libri, stabilì di comporla parte per parte, dando di piglio a qualsiasi punto secondo il suo piacimento, senza seguire ordine alcuno; e per non frenare l'ispirazione lasciò passare alcune cose imperfette»[6].

Non parlerò del problema dei versi incompiuti. Dal testo del biografo si vede che, in teoria, un brano del settimo libro può essere anteriore ad un brano del terzo, mentre un secondo brano del terzo (o del settimo), posteriore al primo in sequenza narrativa, può essere il primo dei quattro in sequenza compositiva. La conclusione è semplice: se accettiamo la testimonianza biografica citata[7], cercare di stabilire la sequenza compositiva dei vari libri è un'impresa formalmente illecita (perché non quadra con le nostre poche testimonianze sui metodi del poeta); un tentativo di stabilire l'anteriorità dell'uno o dell'altro di due passi (perché non possiamo parlare di "libri") dipenderà sempre dalle nostre valutazioni moderne[8].

Decisi perciò di percorrere una strada quasi[9] totalmente nuova, e di riesaminare con un'ottica essenzialmente diversa tutto il vecchio ammasso di "incoerenze": esse hanno, direi, tutt'un altro significato e spiegazione, e offrono preziosissimi indizi per la nostra comprensione degli atteggiamenti del poeta nei riguardi delle sue fonti.

Cominciamo con due esempi proprio piccoli: la città di Nomentum, l'attuale Mentana, ad una ventina di chilometri a nord-est di Roma, in 6.773 è posta tra le colonie fondate da Alba Longa, mentre in 7.712 viene elencata tra i possedimenti di Clauso il Sabino. C'è una netta divergenza anche nei testi geografici: Plinio il Vecchio elenca il paese sia tra le città sabine (*Nat.* 3.107) che tra quelle latine (3.64)[10]. In secondo luogo, vediamo la destinazione dei Locresi, seguaci di Aiace Oileo, dopo

---

[6] Cito *Vita* Svet.-Don. 23-4 tradotta da E. Cetrangolo.

[7] Contro Berres (n. 3), 188, v. Horsfall (n. 3, 1987), 15. Mi sembra azzardato respingere una testimonianza antica così esplicita e dettagliata.

[8] Cfr. n. 3 per la vasta gamma di ipotesi più o meno ingegnose, e per qualche critica metodologica di base.

[9] V. *Antichthon* 15 (1981), 145-7; v. inoltre W. Suerbaum (n. 39), 24, A.-M. Guillemin, *L'originalité de Virgile* (Paris 1931), 59, G. D'Anna, *Mondo Archeologico* 59 (Sett. 1981), 5.

[10] V. la mia voce *Nomentum* per l'*EV*.

la caduta di Troia: nel terzo libro (399) finiscono tra i Bruzi, (la versione varroniana)[11]; Diomede, però, parla (11.265) del loro destino in Nordafrica: è una versione per la quale non abbiamo che testimonianze postvirgiliane[12], ma la loro forma e diversità mi suggeriscono che Virgilio segua una fonte perduta e non inventi.

Del ramo d'oro, che l'uomo del destino rompe con una certa fatica, abbiamo già parlato (1° cap.). Evandro abita in *humili tecto* (8.455), ma parte *limine ab alto* (8.461): risiede dunque in capanna o in palazzo? Virgilio scrive o (455) nei termini del primitivismo etnografico-filosofico[13] o nell'altro linguaggio epico-eroico (461). Chiedere i metri quadri del palazzo del re Evandro non è una domanda degna di risposta[14]!

Torno ad esempi più seri e più significativi. Per Virgilio Diomede può essere o etolo (10.28) o argivo (11.243): tutt'e due le denominazioni hanno la loro giustificazione mitologica e la loro storia letteraria[15].

In 7.47 Latino è figlio di Fauno e Marica; Fauno è figlio di Pico, e nipote di Saturno: la genealogia è almeno in parte tradizionale e ben stabilita[16]. Però, tra le *imagines maiorum* nel suo palazzo (7.178ss.) troviamo Italo, Sabino, Saturno e Iano, mentre a 12.164 Latino è nipote del Sole. Igino scrisse[17] *Latinos plures fuisse, ut intellegamus poetam abuti, ut solet, nominum similitudine.* Esistono anche altre genealogie di Latino[18]: ciò conferma che i Laurentes non avessero un elenco dei loro re paragonabile, diciamo, a quello recente e rabberciato dei re di Alba[19].

---

[11] Varrone: ap. Ps. Prob. *ad Buc.* 6.31 (3.2, 337.4ss.Thilo-Hagen).

[12] Apollod. *Epit.* 6.15, 15a (= Schol. Lyc. 902), Tac. *Hist.* fr. 8 ap. Serv. Dan. *ad Aen.* 11.265, Robert (cap. 2, n. 119), 1453.

[13] V. il commento dell'8° Libro di K.W. Grandsden, 24-9, M.E. Taylor, *AJPh.* 76 (1955), 261-78.

[14] W.A. Camps, *An introduction to Virgil's Aeneid* (Cambridge 1969), 133; la nota di E. Henry (cap. 2, n. 136), 182, n. 17 è piena di buon senso ed umorismo.

[15] Roscher s.v. 1023.3ss. (von Sybel), Apollod. *Bibl.* 1.8.5s.

[16] A. Schwegler, *Römische Geschichte* 1 (Tübingen 1867), 215, n. 21, Dion. Hal. *Ant. Rom.* 1.43.1. R. Moorton, *TAPA* 118 (1988), 253-9.

[17] Igino ap. Serv. *ad Aen.* 7.47 = fr. 10 *GRF*.

[18] V. le note di Servio *ad Aen.* 7.47, 12.164, Esiodo *Teog.* 1011-3 (colla nota di West), Schwegler (n. 16).

[19] *EV* s.v. *Alba* (D'Anna), J. Poucet, *Coll. Lat.* 193 (1986), 238-58, Horsfall *BICS* Suppl. 52 (1987), 3,7.

Virgilio parla anche di un re dei Laurentes di nome Dercennus: egli ha un bel nome celtico e sembra far parte di tutt'un altro strato mitologico[20]. In ogni caso, è chiaro come Virgilio non dia la minima importanza ai rapporti familiari tra queste ombre mitologiche[21].

Protesta Macrobio che ci siano nomi nei cataloghi che poi non compaiono nella narrazione dei combattimenti, ed altri nomi, invece, nei combattimenti che poi non compaiono nei cataloghi. *Deinde* (Sat. 5.15.10) *in his quos nominat fit saepe apud ipsum incauta confusio*. Corineo muore (9.571), e tre libri dopo uccide Ebiso (12.298). Cloreo viene ucciso due volte (11.768, 12.363). C'è apparentemente confusione (e non fratellanza) tra i due personaggi nominati "figlio" di Irtaco, *Hyrtacides*", cioè Ippocoonte e Niso (5.492, 9.177, ecc.)[22]. Niente di nuovo: Macrobio riprende critiche simili già fatte contro Omero[23]. Virgilio non imita Omero deliberatamente nelle incoerenze, che sono francamente inevitabili in un'epopea di poco meno di dieci mila versi.

Dopo l'attacco dei Galli e Brenno contro Roma, Camillo viene descritto, nel sesto, come *referentem signa* (825): allusione chiara, come in tanti altri passi della *Heldenschau*, ad una rappresentazione visiva[24]. Normalmente egli non riporta le insegne (Ma quali insegne? si chiede il lettore), bensì l'oro del riscatto[25]. Virgilio pensa piuttosto alle insegne romane perse nella battaglia di Carrhae e recuperate dalla diplomazia di Augusto[26]. Nell'ottavo (655-7), con le parole (657) *arcemque tenebant* sembra indicare che i Galli fossero riusciti ad impadronirsi del Campidoglio, come nella versione "eterodossa" nota anche per es. ad Ennio ed a Tacito[27].

---

[20] *Athen.* 66 (1988), 43, *BICS* Suppl. 52 (1987), 2, 4, *EV* s.v., T. Köves-Zulauf, *Kleine Schriften* (Heidelberg 1988), 281-2.

[21] *BICS* Suppl. 52 (1987), 7-10, *Athen.* 66 (1988), 40.

[22] V. cap. 2, n. 136, *EV* s.v. *Irtaco*.

[23] Cfr. n. 1, Schol. *Il.* 13.643, G.S. Kirk, *Songs of Homer* (Cambridge 1962), 212.

[24] Suggerito forse per la prima volta da L. Delaruelle, *Rev. Arch.* 4.2 (1913), 155ss.; v. D. Feeney, *PCPhS* 32 (1986), 5, Horsfall, *Prudentia* 8 (1976), 84.

[25] T.J. Luce, *TAPA* 102 (1971), 265-302, Livio, 5.48-50 con le note di R.M. Ogilvie, e la nota di R.G. Austin ad *En.* 6.825.

[26] V. l'introduzione di R.G.M. Nisbet e M. Hubbard ad Or. *Carm.* 1, xxxii-iii, *Carm.* 3.5.5, *En.* 7.606, *EV* s.v. *Parti* (Pani).

[27] Horsfall, *Antichthon* 15 (1981), 146-7, *BICS* Suppl. 52 (1987), 63-75, Austin *loc. cit.* (n. 25).

Nel sesto, Teseo o torna (122s.) o *sedet aeternumque sedebit infelix* (617-8): brontola a lungo già Igino[28]: se avesse avuto il tempo, Virgilio l'avrebbe corretto, insiste. Povero Igino! Spiego altrove come il poeta giuoca con due versioni (cap. 2 n. 119); la sfida erudita al lettore vale infinitamente di più della coerenza rigorosa dei pedanti.

L'Italia prima dell'arrivo di Enea era in uno stato di pace e tranquillità (7.45ss., 203, 623, ecc.); ma altrove degli Italici Virgilio parla come già, e da tempo, guerrieri esperti (7.182-6, 748-9, 9.609-13). Nella "vulgata" annalistica, la versione "bellica" è quella predominante[29]; ma se Nevio (fr. 11 Strz.) adopera le parole *silvicolae homines bellique inertes* per descrivere l'Italia al momento dell'arrivo di Enea, Virgilio avrà avuto una bella giustificazione letteraria[30] per l'innocenza "saturnia" di quell'Italia di Latino al principio del settimo.

All'inizio della caduta di Troia, è notte buia (2.251): la flotta greca *ibat/a Tenedo tacitae per amica silentia lunae* (254-5); al v. 340 c'è già luce della luna. Non esiste un conflitto: Virgilio usa linguaggio tecnico (cfr. Plin. *Nat.* 16.190) con eleganza; la *silens luna* non è ancora sorta. In un verso del ciclo epico (*Il. Parva* fr. 9 Bernabé) per fortuna conservato, leggiamo «era mezzanotte ed una luna chiara sorgeva». Da uno studio tecnico[31] delle informazioni in Virgilio risulta probabile che il poeta tenesse conto di tutt'una lunga serie di indagini sulla datazione della caduta di Troia e sulla fase della luna in quel giorno.

Era una notte piena di problemi, sia per i Troiani che per gli studiosi: con 2.256 *flammas cum regia puppis extulerat* (un segnale fatto dalla flotta greca a Sinone, già dentro la città, perché apra il cavallo) dobbiamo confrontare 6.518f. *flammam media ipsa tenebat | ingentem et summa Danaos ex arce vocabat*: Elena levò il segnale suo da dentro la cittadella. Parlerei non di "incoerenza", ma di un raddoppiamento narrativo che forse meglio sarebbe stato evitare. Le altre versioni par-

---

[28] Ig. ap. Gell. 10.16.11-3 = fr. 8 *GRF*.

[29] Liv. 1.1.5, Dion. Al. *Ant. Rom.* 1.57.2, *Antichthon* 15 (1981), 148, n. 21.

[30] E non solo da Nevio (la collocazione del frammento è molto discussa), ma se non da Sall. *Cat.* 6.1, e Saufeio ap. DServ. *ad Aen.* 1.6 (tutt'e due, testimonianze ambigue), almeno da Giustino 43.1.3. V. Schwegler (n. 16), 201.

[31] A.T. Grafton e N.M. Swerdlow, *CQ* 36 (1986), 212-8.

lano di segnali fatti da Sinone (o fuori le mura o già dentro), o da Antenore, o sia da Sinone che da Elena[32]. Quest'ultimo caso è però fuorviante, perché sembra piuttosto probabile che Trifiodoro, che scriveva in Egitto verso il 450 d.C., abbia semplicemente letto Virgilio[33].

Queste osservazioni dovranno tener conto sia del modo in cui Virgilio si diverte, approfittando della molteplicità di versioni antecedenti, mirando ad un giuoco erudito, sia delle grandi difficoltà pratiche nello scrivere e riscrivere, correggere e ricorreggere, fare copie provvisorie e poi pulite con i mezzi antichi, tavolette di legno o di cera, rotoli di papiro, schiavi-copisti[34]. C'è un elemento di superiorità arcigna ed irrealistica nella nostra prontezza a criticare le più minute irregolarità nel testo di Virgilio. L'inadeguatezza dei mezzi predisponeva l'autore antico a *non* correggere tutti i più piccoli dettagli. E guardiamo una terza difficoltà in quella famosa notte: nel sesto, Elena alza la fiaccola dalla cittadella, mentre nel secondo (567ss.) si nasconde dentro il tempio di Vesta (come Servio, a 2.592, aveva già osservato). Se l'episodio di Elena, 2.567-88, non è di Virgilio, l'incoerenza non è che un difetto da parte del falsario[35]; se il passo è invece un abbozzo virgiliano, la critica dovrebbe essere molto moderata, perché nessun sostenitore dell'autenticità di quei versi può ammettere che siano altro che un abbozzo provvisorio, mai corretto ed inserito al posto giusto nel testo definitivo.

Avendo adesso ottenuto una percezione più sfumata, più scettica, più equilibrata di certi aspetti delle incongruenze possiamo passare a certi casi più seri e notori.

---

[32] V. di recente T.E. Kinsey, *PP* 42 (1987), 212-8; in generale v. Ussani ad *En.* 2,79, Austin ad *En.* 2, 57-75, 256, 259, Preller-Robert (cap. 2, n. 119), 1252-3.

[33] A.D.E. Cameron, *Claudian* (Oxford 1970), 20 riassume una lunga discussione. L'indipendenza di Trifiodoro da Virgilio, sostenuta varie volte da F. Vian contro R. Keydell, viene di nuovo ribadita da B. Gerlaud nell'ed. Budé (dell'82), pp. 16-36.

[34] Per i problemi della ricerca nel mondo romano, v. Kleberg (cap. 2 n. 17), 40-80 *passim*, Fedeli (cap. 2 n. 17), 34-46, Skydsgaard (cap. 2 n. 3), 101-16, Marshall (cap. 2 n. 15), Rawson (cap. 2 n. 5), 38-53.

[35] Credo che G.P. Goold, *HSCP* 74 (1970), 101-68 e C. Murgia, *CSCA* 4 (1971), 203-17 abbiano adesso dimostrato che i versi 2.567-88 siano falsi, benché scritti da un falsario piuttosto geniale. Un tale *poeta vergilianus* avrà certamente studiato le fonti di tutto il contesto virgiliano e perciò, mi sembra, cade la bella difesa dell'autenticità del brano offerta da G.B. Conte, *RFil* 106 (1978), 53-62 = *Il genere e i suoi confini* (Torino 1980), 104-21 = *The Rhetoric of Imitation* (Cornell 1986), 196-207.

(1) I re di Alba Longa sono discendenti, secondo Virgilio, o di Enea e Creusa (1.267ss) o di Enea e Lavinia (6.760ss.)[36]. Tutt'e due le genealogie si trovano in Tito Livio (1.3.2, 1.1.11); tutt'e due presuppongono antecedenti annalistici ed implicazioni politiche, ampiamente studiate[37]. Virgilio non si sente costretto a scegliere e non sceglie.

(2) Partono da Troia i profughi *incerti quo fata ferant, ubi sistere detur* (3.7); hanno ricevuto qualche informazione profetica, ma ne capiscono poco[38]; nel corso del terzo libro, la fine e lo scopo del viaggio diventano sempre più chiari: mentre secondo Varrone essi seguivano la stella di Venere[39] (una versione alla quale Virgilio stesso allude, 1.382, *matre dea monstrante uiam, data fata secutus*), secondo Sallustio (*Cat.* 6.1) *Troiani, qui Aenea duce profugi sedibus incertis vagabantur*. Sia la certezza che l'incertezza sono attestate nelle fonti. L'informazione oracolare non immediatamente capita dai colonizzatori, il ruolo predominante (nel terzo libro e non altrove) di Apollo, divinità principale della colonizzazione[40], la ricerca dell'*antiqua mater* (cioè l'allusione criptica dell'oracolo poetico all'origine dei Troiani da Corito in Etruria[41]), la necessità di una lunga serie di oracoli e profezie per spiegare la strada giusta sono tutti elementi tipici della letteratura antica della colonizzazione[42]. Certi dettagli — meglio ammetterlo — non sono perfettamente armonizzati.

[36] Cfr. Serv. *ad Aen.* 1.267 (Th.-H.1.98.26-8): *ab hac autem historia ita discedit Vergilius, ut aliquibus locis ostendat, non se per ignorantiam, sed per artem poeticam hoc fecisse.*

[37] V. la nota di R.M. Ogilvie a T. Livio 1.3.2, Horsfall *Antichthon* 15 (1981), 146, *BICS* Suppl. 52 (1987), 23, *Vergilius* 32 (1986), 9.

[38] Gli oracoli, fraintesi all'inizio e successivamente capiti meglio, sono un motivo diffuso nella letteratura della colonizzazione: *Vergilius* 35 (1989), 10-15. Ma varie spiegazioni delle "incoerenze virgiliane" vengono ancora offerte: v. *ex. grat.* M. Wifstrand Schiebe, *Eranos* 81 (1983), 113-6.

[39] Serv. *ad Aen.* 3.163 *stella quam intuentur petentes Italiam.* Una versione varroniana: cfr. Serv. *ad Aen.* 1.382, DServ. *ad Aen.* 2.801 = Varr. *res.div.* 2 fr.k Cardauns, Horsfall (n. 38), 7, W. Suerbaum in *Et scholae et vitae* (*Beitr...K. Bayer*) (München 1985), 25-6.

[40] Cf. Horsfall (n. 38), 14; insufficiente la discussione nell'*EV* s.v. *Apollo.*

[41] *BICS* Suppl. 52 (1987), 89-104 (una revisione drastica del mio articolo del '73). Nell'*EV* Corito viene discusso in vari modi s.v. *Corito, Italia, Roma...*

[42] P. Benno Schmidt, *Studien zu griechischen Ktisissagen* (diss. Fribourg 1947), 189-98, Horsfall (n. 38), 8-25. L'analisi dei motivi tradizionali nelle storie della colonizzazione è stata quasi totalmente trascurata dagli studiosi virgiliani.

(3) Virgilio cita santuari oracolari di Apollo non mai visitati dai Troiani nella narrazione dei libri 2-3: Enea protesta a Didone (4.345-6) *Sed nunc Italiam magnam Grynaeus Apollo, / Italiam Lyciae iussere capessere sortes*. Queste ultime non sono da identificare; Apollo Grynaeus è un'allusione puramente letteraria, ad Euforione attraverso Cornelio Gallo[43]. In ogni caso, come vedremo, il significato letterale dell'informazione è da sottovalutare grazie al nostro riconoscimento del peso dell'enfasi retorica (p. 101s.).

(4) La teologia virgiliana dell'Oltretomba presenta certamente parecchie difficoltà: coesistono elementi omerici, orfici o pitagorici, e stoici, simultaneamente[44]. Anchise non spiega gli Inferi a suo figlio — come avrebbero preferito certi critici moderni di Virgilio — secondo le semplici verità di un manualetto scolastico di escatologia. Mi soffermo su un unico dettaglio:

Enea scende nei campi elisi — *largior hic campos aether et lumine uestit/purpureo, solemque suum, sua sidera norunt* (6.640-1). Virgilio sembra dire che lì, negli Inferi, ci sono cielo, luce e sole. Alla fine, Enea e la Sibilla, molto perplessi per il discorso di Anchise, *sic tota...regione vagantur / aeris in latis campis* (886-7). Questi due passi non sono né da distinguere chiaramente, né da riferire, indubbiamente, allo stesso posto. Dove siamo? In termini geografici non è facile dire, ma nella letteratura è più chiaro: *fortunati* (639) indica che Virgilio pensa alle Isole dei Beati (terrestri, non sotterranee); il cielo e la luce di 640 richiamano quel passo del sesto dell'Odissea (42-6), imitato all'inizio del terzo di Lucrezio (18-22); anche nell'Oltretomba omerica ci sono delle nuvole (*Od.* 11.592). Passiamo inevitabilmente poi alla filosofia più recente[45], alla salita dell'anima verso l'etere (penso soprattutto al *Somnium Scipionis* ciceroniano, un testo base per Virgilio[46]). Non sono convinto delle teorie

---

[43] Euforione fr. 97 Powell, Gallo ap. Serv. *ad Buc.* 6.72, Horsfall (n. 38), 14.

[44] Cap. 1, n. 20.

[45] Wlosok, cap. 2, n. 74, V. la voce autorevole *aer.* nell'*EV* (Lunelli). Alla varietà delle fonti filosofiche del poeta Servio già accenna, *ad Aen.* 1.267, 6.264, 10.467.

[46] R. Lamacchia, *RhM* 107 (1964), 261-78, Horsfall, *Prudentia* 8 (1976), 80, 83, *EV* 1.775 (Grilli).

di Norden[47] che *aer* debba essere usato in senso stretto, e che Virgilio pensi perciò a teorie del soggiorno dell'anima nell'*aer*, tra Terra e Luna, per la purificazione appropriata.

Preferisco suggerire che Virgilio abbia letto proprio un po' troppo, e perciò combini moltissimi elementi che non quadrano perfettamente tra loro. La metodologia degli studiosi che cercano una coerenza intellettuale rigorosa nei dettagli mi sembra proprio fuorviata.

(5) (6) Di due casi più notori di incoerenza mi occupo molto brevemente[48]. Nel terzo libro (389ss.) la scrofa, trovata da Enea, secondo la profezia di Eleno indicherà il sito della futura città dei Troiani. Nell'ottavo (47-8), il dio Tiberino parla della scrofa come portento della fondazione di Alba Longa, trent'anni dopo — cifra che corrisponde al numero dei porcellini. Il legame della scrofa con la fondazione di Alba è chiaramente varroniano[49]; l'associazione dell'animale portentoso con la fondazione di una città anonima nel futuro, come termine dei viaggi di Enea, è ugualmente tradizionale e si trova, per es., in Fabio Pittore e nell'antiquario Cesare[50]. La profezia del consumo delle tavole è da spiegare in termini simili: viene pronunciata dall'arpia Celeno nel terzo (255), viene riferita ad Anchise nel settimo (123), ed in altre versioni allo Zeus di Dodona, alla Sibilla Eritrea, ad Apollo Delfico, ed a Venere[51]. Parliamo di un mito fluido non fisso (p. 77 ss.). Venere, secondo Nevio (fr. 9 Strz.) aveva dato *libros futura continentes* ad Anchise; Ennio parla di Anchise *Venus quem pulcra dearum / fari donauit, diuinum pectus habere* (*Ann.* 15-16Sk.). Voglio dire: nel settimo Virgilio attribuisce la profezia ad Anchise, che nel terzo diventa sempre più profetico nei suoi consigli, e che aveva già un ruolo profetico nell'epos latino arcaico; mentre nel

---

[47] Norden, *Aen.* 6₄, 23-6.

[48] Ne ho già detto troppo: *Antichthon* 15 (1981), 146, *CR* 37 (1987), 16, ib. 38 (1988), 273, *Vergilius* 32 (1986), 9, 35 (1989), 12.

[49] Varr. *LL* 5.144, *RR* 2.4.18, *Antichthon* 15 (1981), 146.

[50] Fabio Pittore fr. 4P, l'antiquario Cesare ap. *Origo Gentis Romanae* 11.2 (v. la nota di J.-C. Richard (ed. Budé) *ad loc.*).

[51] Schwegler (n. 16), 1.324, E.L. Harrison, *PLLS* 5 (1985), 134-8, H. Boas *Aeneas' arrival in Latium* (Amsterdam, 1938), 223.

terzo, in un passo ispirato dalle Arpie di Apollonio[52], attribuisce a Celeno l'espressione di una profezia chiaramente da sempre priva di origini oracolari precise.

Rimangono due problemi, l'uno illusorio, l'altro difficile.

(7) Alla fine del primo libro dice Didone: *nam te iam septima portat / omnibus errantem terris et fluctibus aestas* (755-6); mentre nel quinto la finta Beroe, dopo l'inverno trascorso a Cartagine *septima post Troiae excidium iam uertitur aestas* (626). La durata del viaggio non è fissa nella mitologia; nelle varie versioni in prosa, dura da due anni a dieci[53]. Virgilio scelse il numero di sette. Jacques Perret, indagatore raffinatissimo ed instancabile di problemi virgiliani[54], ha avuto il gran merito di vedere che il problema non esiste, e che i virgilianisti l'hanno creato, leggendo disattentamente il testo[55]: tutto ciò che succede tra il banchetto (1.755-6, autunno) ed il ritorno di Enea in Sicilia (5.626; tarda primavera) si svolge, se cerchiamo una cronologia rigorosa, facilmente entro il giro di un anno.

(8) Più difficile è il problema delle due versioni della morte di Palinuro[56], 5.827ss., 6.337ss. Nel quinto la divinità del sonno getta il timoniere in mare; nel sesto non c'è intervento divino. Nel quinto c'è mare calmo, nel sesto c'è tempesta; nel quinto Enea pensa ad un incidente, mentre nel sesto parla di responsabilità divina; nel quinto siamo in viaggio tra la Sicilia e l'Italia, nel sesto (338) Virgilio parla di *Libyco cursu* (per quanto possa significare "durante il viaggio dalla Libia", resta il fatto che i Troiani si sono fermati in Sicilia); nel sesto Palinuro racconta di aver nuotato durante tre notti; alla fine del quinto, il viaggio dura una notte sola. In quest'ultimo caso si tratta solo di un arzigogolo triviale: è chiaro che il nuotatore arriva in Italia più lentamente delle

---

[52] Apoll. Rod. 2.178-300, W.W. Briggs, *ANRW* 2.31.2, 974, *EV* 1.336-7 (Fasce).

[53] Schwegler (n. 16), 1.284, n. 1: da Solino 2.14 (che cita Cass. Em. fr. 7P) a Clem. *Strom.* 1.21.137.

[54] V. *EV* s.v. (Schilling); da *La légende troyenne* (1942) in poi.

[55] V. la sua ed. Budé dell'*En.* 1, p. 169-70; sono molto grato al Prof. Perret per le sue lettere tolleranti ed informatissime.

[56] V. adesso F. Brenk, S.J., *Aevum* 62 (1988), 69-80, *Latomus* 46 (1987), 571-4; cfr. anche *En.* 6 nell'ed. di Butler, 160-1, Camps (n. 14), 127-8, M.M. Crump, *The growth of the Aeneid* (Oxford 1920), 63-5.

navi di Enea. L'episodio ha origini letterarie piuttosto complicate — l'Elpenore omerico e probabilmente anche la Prochyta neviana[57]; ha subìto contaminazione dalla storia di Polite (Brenk, n. 56); e può darsi che Virgilio abbia pensato anche alle avventure di Filottete in Italia[58]. Non so come risolvere le difficoltà qui esposte; certamente i mezzi che abbiamo usato altrove qui non funzionano. Il problema irrisolto ha tuttavia un suo valore particolare: abbiamo visto come la maggior parte delle cosiddette incoerenze siano soltanto casi in cui l'autore deliberatamente non sceglie tra due versioni conosciute, per gusto, per sfida letteraria, o per pigrizia. Queste ''non-incoerenze'' non hanno nulla a che vedere con lo stato redazionale dell'epopea o con il problema irreale della sequenza nella quale Virgilio scriveva i libri dell'epos. Visto che l'*Eneide* non porta la *summa manus* dell'autore, è piuttosto straordinario concludere, come risultato di questo setaccio poco ortodosso, che i casi ''autentici'' d'incoerenza siano proprio pochissimi; forse l'unico che dobbiamo riconoscere come tale è quello di Palinuro.

Nell'*Eneide* esiste però un buon numero di passi nei quali un personaggio allude a un episodio del passato in un modo che non s'inquadra esattamente con la narrazione principale di quell'episodio.

A 5.192 Enea parla del coraggio manifestato dai suoi compagni in *Gaetulis Syrtibus... Ionioque mari Maleaeque sequacibus undis.* Sì, sono arrivati in Nordafrica (nei pressi di Cartagine, a qualche centinaio di chilometri dalle *Syrtes*!) sotto una tempesta; di Malea, promontorio al sud del Peloponneso, Virgilio non parla nel terzo libro — i tre versi dopo 3.204 che ne fanno menzione non sono infatti autentici. Dal mare Egeo nello Ionico passano durante un'altra tempesta (3.192-200), ma i pericoli del mare Ionio consistono non nel maltempo prolungato ma nell'incontro con le Arpie. Enea parla dei suoi (1.200-1) come superstiti dei pericoli di Scilla e di Cariddi, pericoli che avevano evitato grazie alla loro buona navigazione (3.554, 684). Delle *Lyciae sortes* (4.346) abbiamo già parlato (p. 98): Enea non era passato per l'Asia Minore a

---

[57] Knauer (cap. 1, n. 33), 137, S. Mariotti, *Il Bellum Poenicum e l'arte di Nevio* (Roma 1955), 40ss., Horsfall, *CR* 37 (1987), 16.

[58] Lyc. 921, (Arist.) *Mir. Ausc.* 107, Preller-Robert (cap. 2, n. 119), 3.2₄, 1506-7.

consultare gli oracoli, ma nel colloquio con Didone ha certamente bisogno dell'appoggio di voci oracolari. La regina Amata (7.365-6) parla a suo marito Latino di un fidanzamento già stabilito tra la loro figlia Lavinia e Turno, principe dei Rutuli[59]. Da un'analisi attenta del testo diventa peraltro chiaro e fuori di dubbio[60] che il re Latino aveva una figlia ancora, in piena disponibilità e non fidanzata con nessuno, anche se sia la stessa fanciulla che sua madre Amata avrebbero gradito un tal fidanzamento. Lo studioso scozzese-americano Gilbert Highet ci ha offerto una bell'analisi dei personaggi virgiliani come mitomani o bugiardi[61]. Le discordanze di fatto tra orazione e narrazione non sono, perciò, da prendere troppo sul serio.

Pro tempore, pro persona, pro loco, pro causa aut adstruxit ista aut certe resolvit scrisse 1500 anni fa Tib. Claudio Donato[62]. Secondo le circostanze, il personaggio, il passo, la causa, creò quelle discordanze o le sciolse. Una bella osservazione. Per il resto, non sono affatto convinto che se Virgilio avesse avuto altri tre anni per limare il suo testo, avrebbe di fatto eliminato, come pretendevano gli scoliasti, tute le "incoerenze" (eccetto Palinuro!)[63].

---

[59] *Antichthon* 15 (1981), 147; v. anche una mia nota di prossima pubblicazione in *RFil.* col titolo "Externi duces".

[60] G. Highet, *The speeches in Vergil's Aeneid* (Princeton 1972), 287-9; cfr. H.J.Schweizer, *Vergil und Italien* (Aarau 1967), 22-34.

[61] Cfr. nn. 18, 45, e DServ *ad Aen.* 3.119. La difesa della "libertà" di Virgilio si appoggia sulla *poetica licentia*; v. Or. *ars. poet.* 9-10 con i commenti di Brink e Rostagni, *Index Servianus* (cap. 1 n. 13), s.v. *Licentia (poetica)*, Horsfall, *Athen.* 66 (1988), 49-51.

[62] I.p. 6.7-8 Georgii.

[63] In *Nachr. Giessener Hochschulgesell.* 33 (1964), 131-43 V. Buchheit sostiene che ci siano pervenute semplicemente due stesure dello stesso episodio

7. I segnali per strada

Nel caso rinomato del ramo d'oro, abbiamo già visto (p. 23s.) che, con ogni probabilità, ed almeno per il lettore colto, esso funziona come segnale con cui Virgilio suggerisce, attraverso un riferimento allusivo ad *Ant. Pal.* 4.1 (Meleagro), che i versi seguenti saranno di origine platonica. Se poi riusciamo ad individuare altri esempi virgiliani di un tal modo di intrecciare il colloquio tra lettore e poeta, la spiegazione qui offerta del ramo d'oro diventerà più convincente e più sicura, progressivamente. Il tentativo di spiegare in termini simili la partenza di Enea dagli inferi attraverso la porta di corno è stato fatto ripetutamente, con vari gradi di sfumatura. Certo, Virgilio allude alle porte in Omero (*Od.* 19.562-7): anche lì i sogni che passano attraverso la porta di corno traggono gli uomini in inganno. È diventata perciò luogo comune della critica "harvardiana" l'affermazione che Virgilio adoperi il passaggio di Enea dalla porta di corno per indicare di non credere nel futuro glorioso di Roma[1]. Per fortuna, l'interpretazione di Virgilio non mi sembra mai essere così semplice e monocroma. Preferirei piuttosto insistere, con una certa enfasi, sull'esistenza di tutt'una lunga serie di gradi della verità[2]; mi limito a citare due passi di Tito Livio, praef. 6: *quae ante conditam*

---

[1] Ottima la rassegna di interpretazioni tracciata da A. Setaioli, *EV* s.v. *Inferi*, 962; v. il commento di Williams *ad loc.*, W. Clausen in *Virgil*, ed. S. Commager (Englewood Cliffs 1966), 87-8, D. Feeney, *PCPhS* 32 (1986), 15-6, E.C. Kopff, *Philol.* 120 (1976), 247, W.S. Anderson *Art of the Aeneid* (Englewood Cliffs 1961), 61-2, B. Otis, *TAPA* 90 (1959), 176.

[2] P. Veyne, *Les Grecs ont-ils cru à leurs mythes?* (Paris 1983), nn. 32, 136, Horsfall, *BICS* Suppl. 52 (1987), 5.

condendamue urbem poeticis magis decora fabulis quam incorruptis rerum gestarum monumentis traduntur, ea nec affirmare nec refellere in animo est... e 6.1.3 (dopo il ritorno a Roma nel 390) *clariora deinceps...exponentur*. Dalle origini di Roma risaliamo alle origini di Alba e di Lavinio ed indietro, della città allo sbocco del Tevere e delle città del Lazio dei Laurentes ed Aborigenes. Attraverso gradi sempre più remoti di conoscenza e credibilità giungiamo infine all'Oltretomba, appannaggio di poeti, filosofi, teologi, che Platone spiega (24) attraverso il mito di Er e Cicerone attraverso il sogno di Scipione. Virgilio semplicemente non può parlare dell'Oltretomba come di una cosa certa e nota: all'epoca di Augusto (v. p. 111 su Lucrezio), una persona colta come lui, di buona formazione filosofica e di vaste letture, non ha più il diritto di ripetere un credo uniforme e privo di dubbi e sfumature; mescola stoicismo e pitagorismo deliberatamente, per allontanare da sé il sospetto di essere credente o praticante, per eliminare ogni traccia di esegesi dogmatica nella sua poesia. Anche Virgilio è *nullius addictus iurare in uerba magistri* (Or. *Ep.* 1.1.14): non dice che la sua versione del futuro non sia vera (in un certo senso è inconfondibilmente vera, perché egli passa in rassegna fatti e personaggi storici); ma il contesto, dell'Oltretomba in epoca mitologica, è poetico, immaginario, inventato, ed i presupposti filosofici, come Virgilio sa bene, sono mera speculazione. La sua finzione ha un ruolo sociale[3], poetico (anche se di interpretazione continuamente discussa), storica, artistica, intellettuale; l'aspetto finto Virgilio lo giustifica, allontanandosene, attraverso la porta di corno. Partendo dalle belle pagine di David West[4] mi sono poi nascosto in una selva già in parte da me esplorata, cioè nel problema della credibilità teorica del mito.

Ci sono per fortuna altri casi da paragonare e non tutti sono così complicati e controversi.

(3) Quando Enea parla con sua madre travestita ed esclama *o dea, si prima repetens ab origine pergam / et vacet annalis nostrorum audire laborum* (1.372-3) mi chiedo se Virgilio voglia farci pensare ad una sua fonte in prosa per tutta la lunga storia (cfr. Catone, *Origines*, T. Livio *Ab urbe condita* (cfr. 6.1.1), Sen. Rhet. *Historiae ab initio bellorum*

---

[3] Cic. *Somn.* 13; v. cap. 6, n. 46.
[4] Cap. 1, n. 17, 13-5.

civilium — perso — ecc.), forse pure organizzata secondo anni (pensiamo al bel problema illusorio della *septima aestas*, p. 100) ed utilizzata per i viaggi di Enea: potremmo pensare ad un racconto simile a quello di Dionigi, ma forse anche più dettagliato; il nome ovvio è Varrone (tracce pure in Ov. *Met.* 13.623ss.)[5].

(4) Durante il dialogo col figlio, Venere è vestita in modo molto particolare: *uirginibus Tyriis mos est gestare pharetram / purpureoque alte suras uincire cothurno* (1.336-7). In un articolo intitolato "Why did Venus wear boots?" ("Perché Venere portava stivali?")[6] E.L. Harrison propone una spiegazione affascinante: dagli stivali Venere passa, proprio con la parola successiva, alla storia tragica dell'arrivo di Didone a Cartagine ed il coturno, cioè la calzatura dell'attore tragico, viene introdotto proprio per segnalare che sta per cominciare un racconto tragico[7]. Harrison risolve, mi sembra, in modo molto elegante un vecchio problema. Ho raccolto altrove altri casi, nella *Ciris*, in Callimaco, Arato, Apollonio, nei quali il *poeta doctus* indica apertamente la sua dipendenza da fonti scritte[8].

(5) Se guardiamo il paragone di *En.* 4.469-73, il particolare *scaenis* ci colpisce: non soltanto *agitatus Orestes* ma proprio *scaenis agitatus Orestes*. Il gusto[9] del pubblico teatrale romano per gli effetti sonori e visivi abbastanza stravaganti è ben noto. Non mi stupisco che Virgilio ha scritto non "Oreste" ma "Oreste sul palcoscenico"[10]: il personaggio diventa meno lontano, meno "mitico" ed entra, attraverso gli incubi teatrali, nell'esperienza settimanale, se non quotidiana, del lettore. Inol-

---

[5] Henry, cap. 2, n. 136, 28, A. Woodman, *PCPhS* Suppl. 15 (1989), 134. Cfr. 8.626 *res Italas*.

[6] Quasi introvabile in Italia: *PVS* 12 (1972-3), 10-25, adesso rist. in *Meminisse Iuvabit* ed. F. Robertson (Bristol 1988), 197-214.

[7] Harrison osserva che a 8.458 Evandro si veste di sandali etruschi, scarpe notoriamente lussuose per un personaggio esplicitamente e coerentemente austero nei suoi costumi.

[8] V. adesso la nota di R. Thomas a *G.* 1.378; Horsfall, *Athen.* 66 (1988), 32 n. 11.

[9] F.W. Wright, *Cicero and the theater* (Northampton Mass. 1931), 36, 44, 58, J.P.V.D. Balsdon, *Life and leisure in ancient Rome* (London 1969), 273, E.J. Jory, in *Studies in honour of T.B.L. Webster* 1 (Bristol 1986), 145, G. Wille, *Musica Romana* (Amsterdam 1967), 166-87.

[10] E.L. Harrison, *Classical views* 33 (1989), 5.

tre, Virgilio ci fa pensare a tutte le fonti tragiche adoperate per costruire il personaggio di Didone, o piuttosto, in un senso più largo, a tutti gli episodi di carattere "tragico"; penso alla Medea non solo di Euripide ma di Apollonio, e all'Arianna di Catullo[11]. Si può pensare pure al teatro di Cartagine, già progettato (1.429), ed anche alla *scaena* naturale sulla costa punica (1.164)[12].

(6) Passiamo brevemente ai due proemi del settimo libro, il primo a 37-40:

> Nunc age qui reges, Erato, quae tempora, rerum
> quis Latio antiquo fuerit status, aduena classem
> cum primum Ausoniis exercitus appulit oris,
> expediam et primae reuocabo exordia pugnae.

Osserviamo la ripetizione tipica dei proemi *qui...quae...quis*[13], l'enfasi sui principi e sulla cronologia[14], l'uso dell'espressione caratteristica degli storici, *rerum status*[15], la concentrazione sugli inizi della guerra (cfr. *causae ciuilium armorum*[16], e la scelta degli orrori della guerra come argomento narrativo[17], la giustificazione della scelta a motivo della vasta scala geografica e dell'importanza degli avvenimenti[18]. Tono, idee, linguaggio sono strettamente storiografici: Virgilio si accinge a descrivere l'inizio di una guerra civile[19] nel mondo mitico, in una Roma ancora sconvolta dalle sue guerre civili ed ossessionata dall'analisi delle colpe e

---

[11] V. J. Moles, *Homo Viator* (ed. M. Whitby, ecc. Bristol 1987), 153-61, F. Muecke, *AJPh 104* (1983), 134-55, *EV* s.v. *Didone* (La Penna), 53-4.

[12] D. Clay *CPh.* 83.3 (1988), 196.

[13] Es. *Teog.* 108ss., Virg. *G.* 1.1.ss., *En.* 1.8ss., 7.37-8, T. Liv. *Praef.* 9, *ex. grat.*

[14] Cfr. 8.629 con le osservazioni di Woodman (n. 5), 133-4; cfr. p.es. Cic. *de orat.* 2.63.

[15] T. Liv. 1.31.7, 3.37.3, 67.2, Tac. *Ann.* 1.2.2, 16.1, ecc.

[16] M. Pohlenz in *Epitumbion H. Swoboda dargebracht* (Reichenburg 1927), 201-10, E. Fraenkel *Kl. Beitr.* 2 (Roma 1964), 149 = *JRS* 35 (1945), 3, Jal (n. 17), 360-91.

[17] P. Jal, *La guerre civile à Rome* (Paris 1963), 391ss.

[18] T. Liv. 21.1.1-3, Tuc. 1.1,23.1, Sall. *Iug.* 5.1-3 (colla nota di Paul), Tac. *Stor.* 1.2, Polib. 1.13.11, 63.4s., E. Herkommer, *Die topoi in des Proemien der rüm Geschichtswerke* (diss. Tübingen 1968), 165ss.

[19] V. nel n. 16 e soprattutto l'analisi di Jal.

Passiamo a Roma attraverso un esempio semplice e "classico": la spiegazione filosofica dell'universo e della sopravvivenza dell'anima offerta da Anchise a 6.723-51. Non è qui opportuno districare di nuovo elementi orfici, platonici, pitagorici, stoici, omerici, ciceroniani, ecc.: tutto il passo, però, porta un motto, una firma[34]: *principio*, una parola caratteristica di Lucrezio e che ben si affianca ad altri echi nei versi successivi. Con *principio* Virgilio intende dire: adesso parlo di filosofia, in linguaggio lucreziano; come 1.1. *arma virumque* porta la firma doppia: *Iliade* ed *Odissea*, una firma che vale per tutta l'epopea. Il *color romanus* dell'*Eneide* non è un argomento da liquidare in poche pagine: merita invece un suo libro (o libri). Si può offrire, però, una selezione di casi nei quali il testo di Virgilio reca l'impronta inconfondibile della vita romana non tanto in sé[35] quanto vista da autori romani. Parlo, per così dire, di "segnali" letterari di "romanità".

Abbiamo già discusso (106) il proemio 7.37-43; preferirei non dare l'impressione di giudicare l'autore del 7° libro come un Sallustio in versi: ma il poeta sottolinea da una parte il suo debito intellettuale verso la storiografia contemporanea[36], dall'altra la sua percezione della guerra tra Enea e Latino come una guerra civile vera e propria[37]. L'"archeologia" del Lazio che segue (7.45-58: non dissimili 1.338-68, il passato di Cartagine, e 8.314-36, storia di Roma dai *Fauni Nymphaeque* ad Evandro) assomiglia molto ad un certo tipo di *excursus* storiografico (con qualche dettaglio etnografico) teso a spiegare gli antecedenti dei principali eventi narrati[38].

(Leiden 1974) — v. la mia recensione, *JRS* 65 (1975), 228-9.

[34] V. il commento di Austin ad loc. e A. Setaioli *ANRW* 2.31.3, 1779.

[35] Cfr. p. 135ss. per l'uso degli anacronismi; per i paragoni tratti dalla vita quotidiana; cfr. M. Coffey, *BICS* 8 (1961), 69-71; cfr. pure l'elemento contemporaneo da individuare tra i peccatori dell'inferno, 6.608s., 621 — W. Wimmel, *ANRW* 2.30.3, 1572-3 — cfr. gli elementi inconfondibilmente romani a 6.609,12.

[36] V. *Athen.* 66 (1988), 31-5: cerco di individuare i debiti di V. verso la storiografia romanzata per alcuni dettagli della storia di Camilla (cfr. ib. 41-2).

[37] Utili le osservazioni di W. Camps *An introduction to Virgil's Aeneid* (Oxford 1969), 95-104, 137-43; p. alcune delle molte somiglianze tra le due guerre civili, v. nn. 13-9 sopra.

[38] Cfr. Sall. *Iug.* 18, con Iust. 18.4-6, Timeo *FGH* 566F82, Sall. *Cat.* 6, *Stor.* 2 frr. 1-11 Maur, 3.63-7 Maur., Tuc. 1.2-19.

Il debito di 6.855-9 e 868-87 verso l'orazione funebre dell'imperatore per Marcello mi sembra fuor di dubbio: il passaggio dal console Marcello al giovane defunto è testimoniato tra i frammenti della *laudatio funebris* (Augusto ed. Malcovati₅, *orationes*, fr. xiv), e proprio il primo dettaglio, gli *spolia opima* del console, mi sembra tipico degli elogi degli antenati del defunto, parte essenziale della *laudatio* romana. Un debito simile vale nel caso dell'epitaffio romano. Eduard Fraenkel identificò il carattere stilistico (tre cola asindetici) dell'autoepitaffio di Didone (4.655-6); nelle commemorazioni dei suoi personaggi Virgilio adopera spesso il linguaggio epigrafico (cfr. *si qua est ea gloria, praesidium*); in particolare, ho notato alcune somiglianze con gli epitaffi degli Scipioni[39].

Il contributo varroniano all'*Eneide*[40] è ampio, vario, ma raramente da individuare con certezza, grazie alla sopravvivenza aleatoria dei frammenti del reatino.

(i) Molti dettagli visivi della *Heldenschau* non risalgono al Foro di Augusto ancora inesistente ma alla fonte comune degli scultori e del poeta per l'iconografia storica[41], le *Imagines* di Varrone, un'opera che sarà stata indubbiamente impressionante con le sue settecento illustrazioni: (cfr. p. 142, n. 59).

(ii) Nel caso della geografia antiquaria della città di Roma nell'8°, possiamo partire dal presupposto che Virgilio abbia desunto molto dall'8° libro delle *Res humanae* di Varrone[42], mi limito per il momento a notare alcuni particolari dove concordano le versioni virgiliane e varroniane — queste ultime note da altri testi, perché l'antiquario si ripete continuamente: con 8.230-5 (Aventino ed uccelli) cfr. Varr. *LL* 5.43; con 8.51 (Pallas-Pallanteum), cfr. *LL*. 5.53; con 8.321-2 (Latium-*latere*), cfr. Varr. *ap.* Serv. *ad Aen.* 8.322 (stessa etimologia, usata in modo diverso); 8.342-4 (Lupercal-Lycaeus), cfr. Varr. fr. 189, *GRF*; 8.345-6 (origine del nome Argiletum), cfr. Varr. *LL* 5.157.

---

[39] Cfr. *CQ* 39 (1989), 266-7 (Marcello), *LCM* 11 (1986), 44-5 (non molto utile F.A. Sullivan, *CJ* 51 (1955), 18-20) (iscrizioni), E. Fraenkel, *Glotta* 33 (1954), 157-9 = *Kl. Beitr.*, 2 (Roma 1964), 139-41 (Didone).

[40] P. un riassunto v. *Varrone: l'opera varroniana e l'Eneide*, nell'*EV*.

[41] Plin. *Nat.* 35.11, *Anc. Soc.* (Macquarie) 10 (1980), 20-3, *Aegyptus* 63 (1983), 211.

[42] Pessima l'ed. dei frammenti curata da P. Mirsch, *Leipz. Studien* 5 (1882), 100-5.

(iii) La stessa considerazione vale per le armi "antiquarie", soprattutto nel catalogo del settimo libro: Virgilio preferisce normalmente adoperare armi o "moderne" (cioè, romane, legionarie) od omeriche, ma talora sceglie dettagli esotici (7.664-5, 685-90, 730-2, 741-3)[43]: la nota di Servio *ad Aen.* 7.176 *ut Varro docet in libris de gente populi Romani, in quibus dicit quid a quaque traxerint gente per imitationem* (fr. 37 Fraccaro) ci aiuta ad identificare 665 *veru Sabello* e 741 *Teutonico ritu* come espressioni "varroniane"; gli altri dettagli dell'armatura si caratterizzano come "antiquari" e ci portano a sospettare gli stessi libri *de gente* come fonte.

(iv) L'ottimo libro di Bernhard Rehm[44] sull'immagine geografica dell'Italia nell'*Eneide* ha stabilito Varrone *Res humanae* 11 come fonte principale per la topografia dei cataloghi virgiliani, malgrado qualche difetto di argomentazione[45]. Qui mi limito a notare i casi più importanti, nei quali un confronto con passi varroniani di Plinio il Vecchio o di Festo garantiscono, o perlomeno stabiliscono con ogni probabilità, Varrone come fonte principale, una fonte talora pure riconoscibile, mi sembra, soprattutto laddove troviamo un toponimo abbellito con giuoco etimologico[46]: *Anxur* (799), *Hernica saxa* (684), *altum Praeneste* (682), *Saticulus* (729), *Rosea rura* (712), *Sturae...palus* (801) e *Sacranae acies* (796).

(v) L'uso di Varrone per le leggende italiche è argomento ancora più delicato: la presenza almeno di qualche accenno alle leggende nell'11° libro delle *res humanae* sembra sicura (v. gli elementi mitologici in Plin. *Nat.* 3.103, 104, 108, *EV* s.v. *Varrone...* e *l'En.*). È ben possibile che Virgilio abbia seguito Varrone per la storia di Ceculo[47]; per la fondazione argiva di Ardea (7.794; cfr. Plin. 3.56), e per il legame tra gli Argivi e Falerii, domicilio originale[48] di Aleso[49], la stessa fonte sembra

---

[43] *En.* 7.664-5, 685-90, 730-2, 741-3, v. *Class. et Med.* 30 (1969), 297-9, *EV* s.v. *Varrone* (n. 40), *pero.*

[44] Cap. 1, n. 3, 97ss.

[45] *BICS.* Suppl. 52 (1987), 93, *EV* s.v. *Varrone.*

[46] V. la discussione nell'*EV* s.v. *Varrone*: cfr. Plin. *Nat.* 3., 103, 104.

[47] *BICS.* Suppl. 52 (1987), 60-2.

[48] *EV* s.v. *Messapo, Athen.* 66 (1988), 40.

[49] Plin. *Nat.* 3.51 forse cita Catone attraverso Varrone; cfr. 7.723-4.

ipotesi facilmente sostenibile; i fondatori argivi di Tibur, Catillo e Cora (7.672) sono già in Catone (fr. 56P), per quanto la storia non sarà mancata nemmeno in Varrone.

(vi) L'uso dell'asta per la dichiarazione formale di guerra (cfr. *En.* 9.52) sembra (Serv. *ad loc.*) venire dal *Calenus* di Varrone[50]; alcuni altri dettagli antiquari delle dichiarazioni di guerra avranno avuto un'origine simile (per l'aspetto politico, v. 63s.): penso al grido "rituale" *arma, arma* (cfr. 7.340, 460, 625)[51], all'*evocatio*, l'appello ai volontari (*vocat* 7.614), all'uso della tromba (513), all'appello per l'aiuto (*auxilium*) ai concittadini (504), ed alla *tessera* di 7.637[52]. Una tale concentrazione di dettagli, relativi ad un argomento discusso da Varrone (n. 50), ci porta a pensare, come nel caso delle armi "anomale", che il poeta ne abbia trovato la maggior parte già raggruppata in modo molto comodo in un'opera varroniana (forse il *Calenus*); un sospetto simile vale per la descrizione del rito feziale inteso a solennizzare la pace (12.175-215), ancora in vigore (Varr. *LL.* 5.86) ai tempi di Virgilio, come erano pure le usanze tradizionali per dichiarare la guerra (Dione Cass. 50.4.5).

(vii) Quando Virgilio segue il gusto tardo-repubblicano, molto diffuso, per l'invenzione di legami genealogici tra *gentes* romane ed eroi leggendari, il debito verso Varrone, *de familiis troianis* sarà stato riconoscibile[53].

Preferirei non continuare quest'indagine sul *color varronianus* passando in rassegna tutti gli aspetti della vita religiosa nell'*Eneide*[54]; nell'epos, il linguaggio tecnico dei portenti è notevolmente ricco[55] ed il poeta,

---

[50]   *BICS* 19 (1972), 124, *Lat.* 33 (1974), 84.

[51]   E. Fraenkel, *Kl. Beitr.* 2 (Roma 1964), 155, n. 1 = *JRS* 35 (1945), 6, n. 1; cfr. W. Schulze, *Kl. Schr.* (Göttingen 1934), 163s.

[52]   7.614 (*evocatio*): v. Serv. *ad loc.* e PW s.v. *evocati* (Fiebiger); 504 (*auxilium*): v. Schulze (n. 51), 176, Ter. *Ad.* 155, ecc., tromba (513): cfr. Varr. *LL* 6.92, Prop. 4.1.13, Gell. 15.27.2, 7.637 (*tessera*) v. *EV* s.v. (Horsfall).

[53]   F. Castagnoli, *St. Rom.* 30 (1982), 8, *BICS* Suppl. 52 (1987), 22-3, con ampia bibliografia; a 5.117, 121, 123, 568, 704 il debito verso Varrone sarà stato riconoscibile.

[54]   V. la raccolta di materiale in L. Beringer, *Die Kultworte bei Vergil*, diss. Erlangen 1934; *EV* s.v. *Varrone*.

[55]   V. Grassmann-Fischer (cap. 1, n. 8); sempre utile F. Luterbacher, *Der Prodigienglaube u. Prodigienstil der Römer* (Burgdorf 1904).

com'è facile dimostrare, ha un gusto deciso per l'uso del linguaggio esatto e tecnico in vari campi[56], un gusto apprezzato dagli scoliasti e, per altro verso, talora criticato da grammatici morsi dalla tentazione irresistibile di arzigogolare contro il mantovano stesso. Non saprei dire con certezza se la tecnicità dei dettagli nel lessico religioso (o dei portenti)[57] fosse proprio estrema, se, nei primi anni dell'impero di Augusto si trattasse già di un linguaggio astruso ed esoterico[58], e se dovessimo perciò pensare ad una fonte scritta. Sono sicuro che Servio e Macrobio, autori dell'ultima rinascita pagana, avranno fatto del loro meglio per sottolineare, pure con esagerazione polemica, l'alta competenza del poeta nel campo della religione e del lessico tecnico religioso.

Al di là dell'individuazione nell'epos di argomenti collegati in modo alquanto esplicito con fonti più o meno identificabili, vale la pena elencare brevemente alcuni stilemi atti se non proprio ad indicare sempre con esattezza una fonte od un determinato "sapore" (cioè, callimacheo o varroniano, p.es.) almeno a definire in qualche modo il carattere letterario di un passo. Parlo p.es. di metonomasie, cambiamenti di nomi introdotti come curiosità linguistiche o come testimonianze storiche, da eruditi e da poeti[59], o dell'uso di nomi stranieri come ornamento linguistico — 3.163 *Hesperiam Grai cognomine dicunt*, 210 *Strophades Graio stant nomine dictae* e gli altri casi espliciti discuteremo tra poco (120) — o di giuochi linguistici più complicati, come p.es. quello di 7.740-1, dove l'epiteto *maliferae* illustra l'etimologia (celtica; cfr. *apple*, *Apfel*) di *Abella* e prepara il lettore alle *cateiae* esotiche: sono

---

[56] Del linguaggio tecnico nell'*En.*, riconosciuto dai commentatori antichi, parlo in una nota, "Barbara tegmina crurum", *Maia*, 41 (1989), 251-4.

[57] *Mirabile dictu* (2.174, 680, 3.26, 7.64, ecc., cfr. *horrendum dictu* 3.26, 365, 4.454, 8.565) appartiene al linguaggio tecnico della descrizione di un *prodigium* (cfr. Grassmann-Fischer, cap. 1, n. 8, 125); si tratta di espressioni che hanno un'apparenza convenzionale ma che portano subito il lettore informato a pensare ad un rovesciamento miracoloso e significativo dell'ordine naturale delle cose.

[58] Il lettore scettico potrà chiedersi la definizione precisa (in un contesto religioso) di (p. es.) amitto, alba, dalmatica, manipolo, razionale, suppedaneo, ambone, cherubicon, pregustazione, dittico. Appartengono ad un tipo di "limbo" lessicale; mi chiedo se qualcosa di simile capitasse per il lessico sacro a Roma.

[59] Call. fr. 601Pf, *Athen.* 66 (1988), 38, n. 55, *Vergilius* 35 (1989), 22.

dei bumerang, ma adoperati, secondo Virgilio *Teutonico ritu*[60]. O parlo della passione per le etimologie, così ben discussa nel libro di Bartelink[61]; mi limito a citare un esempio solo: il re Sabino è descritto come *vitisator* (7.178-9); l'epiteto presuppone Varr. fr. 397 *GRF*: Enotro fu re dei Sabini ed il suo nome suggerisce l'epiteto[62]. Parlo pure del frequente conferire (od imporre) un nuovo nome, come privilegio di fondatore/vincitore/colonizzatore[63], oppure di giuochi sui toponimi ancora inesistenti[64] o del gusto strettamente callimacheo per le eziologie[65], o, finalmente, dell'uso dell'apostrofe[66]

---

[60] Cfr. *Class. et Med.* 30 (1969), 297-9: *cateia* manca nell'*EV*, l'articolo pure nella bibliografia di Suerbaum. Al gusto di Virgilio per le etimologie straniere (greche, puniche, celtiche, italiche) abbiamo già accennato (cap. 1, n. 5) — un gusto ereditato da Varrone e trasmesso ad Or., nel 4° libro dei *Carm.*: v. *LCM* 12 (1987), 136.

[61] Al bel libro di Bartelink (cap. 2, n. 3), qualche aggiornamento nell'*EV* s.v. *etimologia* (Scarpat).

[62] *CR* 28 (1978), 163; cfr. 8.318-9 e G. 2.173: *Saturnus/Saturnia tellus* presuppongono il legame etimologico con *serere/sata* e l'agricoltura; M. Wifstrand Schiebe, *Vergilius* 32 (1986), 43-60 non è del tutto affidabile; v. *Athen.* 66 (1988), 38-9 42-3 per nomi e spiegazioni che provocano sviluppi narrativi.

[63] Cfr. *Vergilius* 35 (1989), 18, 22: un luogo comune della storiografia sia poetica che prosastica della colonizzazione: cfr. ex. grat. Apoll.Rod. 4.990, 1717-8, 1763.

[64] 9.387, 12.134, 8.338, 342, 361; cfr. p. 44 per le proteste di Igino contro gli anacronismi toponomastici di V.

[65] Utile la voce *aition* nell'*EV* (Fedeli); di 7.765-78, esplicitamente callimacheo, abbiamo parlato, 109s.. Cfr. p.es. G. 4.282, 316, *En.* 7.708, 601-617, 5.596-601, 8.185-9,3.408. Non dovremmo dimenticare che pure Varrone ha scritto degli *Aetia*: v. Serv. *ad Aen.* 1.408.

[66] Qualche volta come eco di epigrammi dedicatori, 6.18, 251, 7.2, R. Merkelbach, *RhM* 114 (1971), 349ss.; pure come convenienza metrica (meglio non negare quest'elemento, neppure nel caso di Virgilio) o mezzo per introdurre un elemento di variazione stilistica in un elenco (cfr. 7.685, 797), ma soprattutto come stilema ellenistico-neoterico per intensificare l'intimità della narrazione e dei rapporti tra autore e lettore: 2.429, 6.30-1, 882, 7, 759-60. V. le note di DServio a 9.397,424, che osserva l'intervento "personale" del poeta, come già fecero i chiosatori omerici: v. la bellissima nota di Norden a 6.14ss. Manca una voce "apostrofe" nell'*EV*, e di altri modi d'intervento personale ed aperto dell'autore nella narrazione. Dall'intimità ellenistica all'erudizione italica Virgilio riconosce i suoi debiti ampiamente ed esplicitamente: ad una lettura attenta, l'*Eneide* diventa un'epopea intarsiata di annotazioni.

8. È stato detto[1]

L'articolo del compianto T.C.W. Stinton, "Si credere dignum est"[2], viene citato spesso e con la stima che merita; l'autore discute sinteticamente (65-6) altre espressioni dello stesso tipo (come *fama est*, *ut perhibent, fertur*) nella poesia ed in particolare in Virgilio. Lo Stinton è solo il più recente in un lungo elenco di studiosi di cui qui si tratta — Leo, Norden, Heinze, Nisbet e Hubbard, per es.[3] . Neppure i quattro massicci volumi dell'*EV* finora usciti contengono, sembra, una discussione sostanziosa. Vorrei perciò almeno presentare tutte le testimonianze virgiliane (inevitabilmente, ci sarà qualche piccola omissione, fortuita o discutibile), cioè tutti i passi ove il poeta fa o sembra faccia riferimento a versioni precedenti, e cercherò di tener conto delle reazioni antiche a questi passi. Abbiamo bisogno di un'indagine sistematica su tutte le espressioni del genere, almeno da Pindaro ad Ovidio; per il momento questo mio capitolo servirà come sostituto provvisorio.

---

[1] Una versione inglese di questo capitolo è uscita in *PLLS* 6 (1990), 49-63.

[2] *PCPhS* 22 (1976), 60-89.

[3] La bibliografia è stata raccolta in *Athen.* 66 (1988), 32, n. 13. Le osservazioni dello Heinze sono state ristampate nel suo *Vom Geist des Römertums*, (Stuttgart 1960), 308-403. V. inoltre (premessa, n. 5), 242-3. Ad alcune discussioni segnalate nella mia bibliografia precedente, tornerò in queste pagine. V. inoltre H. Georgii, *Die antike Aeneiskritik* (repr. Hildesheim 1971), 179, N.J. Richardson, *PLLS* 5 (1985), 395, M. Squillante Saccone, *Le "Interpr. Verg." di Tib. Claudio Donato* (Napoli 1985), 111, S. Hinds *Ramus* 16 (1987), 17-9. Di quest'ultimo riferimento sono grato all'amico Francis Cairns; il lettore acuto osserverà l'uso di una formula straniante da parte di uno studioso che preferisce non dare l'impressione di essere lettore assiduo di quella rivista.

Posso immaginare che i miei predecessori siano stati scoraggiati dalle difficoltà nell'organizzare e classificare le testimonianze; dichiarando di partire quasi sempre dall'argomento — molto fuori moda — delle fonti, e soprattutto delle fonti prosastiche di Virgilio, tenterò di ordinare il materiale semplicemente secondo il suo grado di affidabilità, cioè, secondo il grado di veridicità del poeta.

Comincio con quei passi nei quali Virgilio rivendica il carattere tradizionale di ciò che scrive, nei quali a noi pure è chiaro che in verità il poeta allude ad un antecedente noto e riconoscibile.

In *En.* 5.588 *ut quondam Creta fertur labyrinthus in alta*, il riferimento è non soltanto ovvio ed esplicito ma forse pure duplice: al labirinto di Catullo, 64.115 (v. in particolare *En.* 5.591) ed alla raffigurazione omerica della pista di ballo di Cnosso sullo scudo di Achille (*Il.* 18.590ss.). In *G.* 3.391 *munere sic niueo lanae, si credere dignum est / Pan deus Arcadiae captam te, Luna, fefellit*, Servio annota *tantum de Luna sacrilegium*; DServ., in modo simile: *quia dicturus erat impie in deam*. Alla mentalità del critico tardo-antico *si credere dignum est* sembra dunque meccanismo di allontanamento, ma DServ. continua: *huius opinionis auctor est Nicander: nec poterat esse nisi Graecus*! Il riferimento a Nicandro viene per fortuna confermato da Macrobio *Sat.* 5.22.10: *nam Nicander huius est auctor historiae...quod sciens adiecit* (sc. *Vergilius*) *"si credere dignum est"; adeo se fabuloso usum fatetur auctore*. Virgilio così non solo adopera una formula tradizionale di dissociazione (del poeta dal materiale) ma lo fa allontanandosi un passo di più: invita il lettore bene informato a credere (o a non credere) a ciò che egli stesso ha preso in prestito, in modo riconoscibile, da Nicandro (fr. 115 Gow-Scholefield)[4].

In *En.* 6.893-4 *sunt geminae Somni portae, quarum altera fertur/cornea*, Virgilio lascia intendere chiaramente che segue la versione "classica" (*Od.* 19.562ss.) αἱ μὲν γὰρ κεράεσσι τετεύχαται, come pure i bimbi avranno saputo. È vero o non vero? La domanda è irrilevante: Omero aveva detto "di corno" e *fertur* funziona come un tipo di annotazione

---

[4] Cfr. Stinton (n. 2), 66: "può darsi che il poeta stia chiedendo scusa per un mito raro"; "excuse" (ing.; qui "scusa") suona strano: Virgilio rivela la sua erudizione, ed aspetta la reazione appropriata dai suoi lettori.

necessariamente soppressa. Per spiegare *En.* 7.765 *namque ferunt fama Hippolytum*, Servio (*ad Aen.* 7.778) offre l'osservazione utilissima: *exponit τὸ αἴτιον: nam Callimachus scripsit αἴτια in quibus etiam hoc commemorat*; con la parola *ferunt* Virgilio intende dire "vedete Callimaco"; ad *Aet.* fr. 190 Pfeiffer raccoglie gli altri *αἴτια* dell'Italia narrati da Callimaco. Ho cercato di rivendicare — probabilmente troppe volte[5] — il riconoscimento appropriato del fatto cruciale che la narrazione virgiliana viene qui arricchita da tanti motivi eziologici alessandrini. "Dicono, riportando la fama": davvero lo fanno. Virgilio sottolinea la sua dipendenza letteraria, riproduce, in maniera abbastanza stretta, mi sembra, tutto il brano di Callimaco, afferma il carattere tradizionale dell'argomento, ma, a livello esplicito, dice semplicemente che riporta una *fama* narrata da altri. Sul *namque ferunt* di 10.189 — un passo che corrisponde strettamente, in termini di struttura, ad *En.* 7.765 — Tib. Donato osserva: *fabularum veterum perindeque incertarum certum se auctorem non vult poeta constituere: ideo sic coepit, ut diceret ferunt, ut, si falsitas exsistat, alii mendaciorum potius rei tenerentur.* "Meccanismo di allontanamento", diciamo, più sinteticamente. Ma non siamo ancora arrivati al fondo del problema. Norden (ad *En.* 6.14) e Bömer (ad Ov. *Met.* 2.367-80) suggeriscono che Ovidio abbia seguito Fanocle (fr. 6 Powell) e che invece la versione virgiliana (esplicitamente omosessuale) dell'amore di Cicno per Fetonte sia indipendente. Ma questa versione a me sempre è apparsa particolarmente adatta agli *Erotes* di Fanocle, ed il mio sospetto viene confermato *en passant* da James Diggle[6]. Di nuovo, perciò, sono tentato di dire che pure nel passo corrispondente del secondo catalogo Virgilio adoperi meccanismi simili di allontanamento e, parimenti, di annotazione.

A *G.* 1.247 *illic, ut perhibent, aut intempesta silet nox* può darsi (v. adesso Thomas *ad loc.*) che Virgilio declini la responsabilità delle affermazioni (Serv. *poetice: nam in rebus dubiis denegat fidem*) a proposito dell'"Australia", per mezzo di quell'inserzione astuta, da intendersi "come sapete dica Lucrezio" (5.650-5). Nell'*EV* manca la voce *perhibeo*!

---

[5] *JRS* 65 (1975), 228-9, *CR* 29 (1979), 223, e, più ampiamente, *Antichthon* 15 (1981), 149.

[6] Nella sua edizione di Eur. *Phaethon*, 8.

Amara (quae perhibetur amara) a G. 2.238 è termine convenzionale (v. Thomas). A G. 3.90 *quorum Grai meminere poetae* Virgilio semplicemente si riferisce ad Omero (*Il.* 15.119-20, 16.148-9).

Se ci accingiamo adesso ad esaminare le osservazioni di Virgilio a proposito di nomi tradizionali, arriveremo a conclusioni simili.

Ad *En.* 3.210 *Strophades Graio stant nomine dictae*: sappiamo che quelle isole sono davvero chiamate "Strophades"; ma con le parole *Graio... nomine* Virgilio allude anche all'etimologia (da cτρέφεcθαι) offerta da Apollonio (2.296-7), enfatizzata dal bel contrasto con *stant*[7]. *En.* 6.242 non è un verso virgiliano (cap. 1, n. 23), ma l'etimologia Avernus-Aornos è palesemente greca e l'asserzione *unde locum Grai dixerunt nomine Aornon* è facilmente verificabile (cfr. Dion. Perieg. 1151; adrianeo). *En.* 7.607 *sunt geminae Belli portae, sic nomine dicunt* allude alla porta di Giano Gemino (cfr. *En.* 1.294 *Belli portae*); Virgilio adopera linguaggio enniano (*Ann.* 226Sk.), e giuoca con eleganza sull'aggettivo, per alludere in modo erudito, raffinato, arguto ad un luogo ben noto nel Foro Romano (Platner-Ashby (cap. 2, n. 1), 278-80). Più semplice è il caso di 6.441 *lugentes campi (sic illos nomine dicunt)*. *Non dicunt*, però, almeno nei testi pervenutici. Nondimeno, mi sembra piuttosto improbabile che qui il poeta stia inventando: allude invece, suggerirei, al nome Cocytos, "fiume del pianto". *Sic nomine dicunt* pare perciò avere, nel lessico virgiliano, qualche forza quale indicazione di onomastica ereditata, e non è da interpretare come semplice "ornamento" ellenistico[8].

Quando Evandro racconta ad Enea dell'Età dell'Oro nel Lazio sotto il regno di Saturno (8.324), parla di *aurea quae perhibent...saecula*; *perhibent*, sulle labbra di un oratore così venerabile, aumenta senz'altro la sacralità e l'autorità del racconto e del nome, mentre, a livello letterario formale, sarà stata chiara l'allusione ad Esiodo, *Erga* 109. Quando Virgilio scrive (*En.* 1.530 e 3.163) *est locus, Hesperiam Grai cognomine dicunt*, la situazione è meno semplice: "Hesperia" come aggettivo (sinonimo di "occidentale") è buona usanza poetica ellenistica (A.R. 3.311; probabilmente non stesicoreo, ma forse termine conosciuto dai primi

---

[7] Cfr. G.J.M. Bartelink (cap. 1, n. 17), 56-7.
[8] La voce *lugeo* nell'*EV* non tiene conto, purtroppo, delle difficoltà sollevate da *sic nomine dicunt*.

elegiaci greci); come nome, non possiamo però dimostrare che sia anteriore ad Enn. *Ann.* 20Sk...[9]. Quando Ilioneo (1.532) ed i Penates (3.165) negli stessi paessi parlano di *fama* indicano semplicemente qualcosa che, da personaggi nella narrazione virgiliana, hanno sentito[10]; nondimeno *fama* funziona come meccanismo atto ad allontanare il poeta da tali affermazioni azzardate a proposito della preistoria dell'Italia, anche se ciò che viene detto qui sia piuttosto convenzionale. *Terra antiqua potens...ubere glaebae, Oenotri coluere viri* probabilmente giuoca sull'etimologia Oenotri/οἶνοϲ: gli Enotri, con il loro re Italo, rappresentano un elemento piuttosto stabile nell'onomastico della preistoria leggendaria dell'Italia[11]. In *En.* 12.845 *dicuntur geminae pestes cognomine Dirae*, le Dirae stesse rassomigliano da vicino ed in modo riconoscibile alle Ἀραί greche (*Il.* 9.456, ecc.), mentre il loro nome appartiene al lessico augurale[12].

Per *En.* 1.109, *saxa vocant Itali mediis quae in fluctibus aras* spiegazioni copiose si trovano in Serv. e DServ.: *ob hoc Itali aras vocant, quod ibi Afri et Romani foedus inierunt et fines imperii sui illic esse voluerunt* (cfr. Serv. *ad Aen.* 4.628). O così si era detto: il nome è certamente tradizionale[13]. Siamo molto grati a Richard Thomas per la sua analisi magistrale[14] di *G.* 3.147-8 *cui nomen asilo / Romanum est, oestrum Grai vertere vocantes*: «i Greci cambiarono il nome da μύωψ ad οἶϲτρον (con un riferimento particolare alla storia di Io)[15]; in Latino, io la chiamo (non *tabanus*, come Varrone), ma *asilus*». Dal commento dello stesso Thomas a *G.* 3.280-3 risulta chiaro che quando Virgilio scrive *hippo-*

[9] Horsfall, *JHS* 99 (1979), 39.

[10] Cfr. 3.121, *fama uolat...* Cioè, i Troiani sentono che... Per le varie versioni del *nostos* di Idomeneo, v. sempre l'ottima discussione di Preller-Robert (cap. 2, n. 119), 1497ss.

[11] Antioco, *FGH* 555F2, 5 = Dion. Al. *Ant.Rom.* 1.12.3, 35.1, Arist. *Pol.* 1329b9. Questi Enotri sono talmente ben stabiliti che mi sembra poco probabile la spiegazione dell'uso di *fama* da parte dei Penates e di Ilioneo come meccanismi per distanziare il poeta da genealogie leggendarie. V. *BICS* Suppl. 52 (1987), 4,7ss: tali genealogie annoiano, direi, l'autore.

[12] Cic. *Div.* 1.29, Festo p. 316.20L.

[13] Claud. Quad. fr. 31 Peter; v. inoltre la nota di Walbank a Polib. 3.26.3-4.

[14] *HSCP* 86 (1982), 81-5; v. adesso le sue note *ad loc.*

[15] V. in particolare Esch. *Suppl.* 307-8, Call. *Hec.* fr. 301Pf., Apoll. Rhod. 3.276-7.

manes vero quod nomine dicunt pastores, allude, almeno in parte, a Teocr. 2.48-9 ("i pastori teocritei parlano di..."!). A *G.* 4.271-2 *cui nomen amello / fecere agricolae* Virgilio ci prepara (v. Thomas *ad loc.*) per l'etimologia (4.278) dal fiume Mella.

In *En.* 8.135, Enea, all'inizio del suo tentativo, complicato e confuso, di stabilire con Evandro legami di parentela, corrobora la sua asserzione che Dardano fosse figlio di Elettra con le parole *ut Grai perhibent*[16]: l'autorità di quell'asserzione risale ad *Il.* 20.215; anche se Elettra non venga lì nominata, Omero dice che Dardano è figlio di Zeus[17].

Quando Virgilio scrive (*G.* 4.125) *namque sub Oebaliae memini me turribus arcis... Corycium vidisse senem.* "crea un senso forte" osserva giustamente Thomas "dell'esperienza personale del poeta, il che, però, non implica necessariamente per quel senso un'esistenza al di là dell'immaginazione di Virgilio". Forse non siamo arrivati in fondo al problema: il poeta ha in realtà abitato per un periodo nei pressi di Taranto[18], ed il fatto sarà stato noto negli ambienti letterari bene informati di Roma. Quando perciò Virgilio scrisse *memini*, il verbo presuppone l'aspettativa che il dettaglio autobiografico riconosciuto contribuisca al credito accordato dai lettori all'attestazione poetica *memini*.

È infatti più normale di quanto non possa apparire da certe discussioni che il poeta si riferisca a storie tradizionali raccontate in modo convenzionale, in quanto davvero tradizionali. Ci sono, così mi sembra, dieci casi di questo genere.

(i) In *En.* 3.578 *fama est Enceladi semustum fulmine corpus*, Virgilio allude ad una storia antichissima, con antecedenti nobili letterari[19] ma, come riconosceremo più chiaramente, adopera alla stessa volta un'e-

---

[16] Dirà tra poco che Atlante (8.140) *auditis si quicquam credimus* era il padre di Maia. Fa riferimento ad una genealogia comune (Es. *Teog.* 938), mentre benché mormori Anchise "*si rite audita recordor*" (3.107), la sua confusione diventerà ben presto chiara.

[17] DServ. *id est*, Serv. *ut vestrae* (En. parla ad Evandro) *continent litterae*: DServ. *firmius enim est quod ipsorum testimonio infertur.* Cfr. Tib. Donato *qui ut testimonium Graecorum esset in confirmatione veritatis* e SDan. *ad Aen.* 1.531 *bene "Grai" ut et ipsa* (sc. Didone) *cognoscat.*

[18] Ho raccolto le testimonianze nella mia recensione del libro precedente di R. Thomas, *Lands and peoples*, *CR* 34 (1984), 134.

[19] V. la nota di Servio qui: *bene se fabulosam rem dicturus excusat* e Tib. Donato *inserit iam ipsam fabulam non se auctore, ut dictum est, sed fama vulgatam.* La buona nota di

spressione di "allontanamento" come fa spesso quando parla o di *mirabilia* della natura o delle primissime generazioni del mito (questo passo si inserisce in tutte e due queste categorie)[20].

(ii) *Alpheum fama est huc Elidis amnem / occultas egisse vias subter mare* (*En.* 3.694-5). Tib. Donato osserva: *quaecumque fabulosa sunt aut incredibilia horum Vergilius non se sed alium facit auctorem. quis enim credat quod protulit fama...?* I commentatori antichi parlano in termini simili di problemi simili: Virgilio attribuisce alla *fama* la spiegazione in termini mitologici di una "meraviglia". È storia pure questa vecchissima e raccontata da Pindaro (*Nem.* 1.1ss.).

(iii) Dello stretto di Messina Virgilio scrive (*En.* 3.414): *haec loca ui quondam et uasta conuolsa ruina... dissiluisse ferunt.* Non si tratta di un mito ma di una pretesa "meraviglia" e di un'antica storia: Strab. 6.1.6 cita Eschilo (fr. 402 Radt). Tib. Donato commenta *et quia hoc Vergilius noluit esse fabulosum, addidit argumentum, ut quod incerto auctore ferebatur vel verum vel verisimile fieret.* Le parole "*incerto auctore*" sono piuttosto discutibili. Quel "lettore dotto augusteo", che con tanta fatica cerchiamo di ricostruire, probabilmente sarà stato in grado di ricordare la versione "classica" (o le versioni "classiche") di parecchie di queste storie che discutiamo: per quel lettore (o lettrice) la *fama* sarà stata una traduzione in terminologia epica di "Pindaro" o di "Timeo" (*ex. grat.*), al di là della possibilità di una funzione di "allontanamento"[21].

(iv) *En.* 6.107 *quando hic inferni ianua regis / dicitur.* «Non ci fu, in nessun periodo, una spelonca sacra, per la consultazione degli spiriti o per una discesa agli Inferi, entro il cratere del Lago Averno»[22]. Se così fosse o no, per il momento non è importante[23]. Da Strab. 5.4.5 risulta che sia egli stesso che Eforo (*FGH* 70F134) hanno visto molte curiosità naturali nella regione e che, dai ciceroni locali, entusiasti e creduli, hanno sentito molte strane spiegazioni. Virgilio fa riferimento proprio a

---

DServio ad *En.* 6.14 (v. nn. 34,5 sotto) fa riferimento a 3.578.

[20] Pind. *Pit.* 1.16, Call. *Aet.* fr. 1.36Pf., *EV* s.v. *Etna*.

[21] V. *Athen.* 66 (1988), 32, n. 11: una bibliografia delle discussioni precedenti sui modi nei quali i poeti menzionano le loro fonti.

[22] C.G. Hardie nell'ed. di *En.* 6 curata da R.G. Austin, 279.

[23] F. Castagnoli in *I campi Flegrei, Atti conv. Lincei* 33 (1977), 75, contro H.W. Parke *Sibyls and Sibylline prophecy* (London 1988), 92s.

questo tipo di spiegazioni, improbabili ma tradizionali, in un linguaggio formalmente ambiguo, "letterario" e convenzionale, che serve pure ad allontanare dal narratore qualsiasi traccia di responsabilità o credulità.

(v) (Ardea) *quam dicitur urbem / Acrisioneis Danae fundasse colonis* (*En.* 7.409-10). Dovrebbe essere chiaro da Plin. *Nat.* 3.56 che questa storia, pur non antica, è con ogni probabilità ereditata da Varrone. *Dicitur* è perciò una stenografia epica per "dice Varrone; credete o no, come volete"[24].

(vi) 7.679-80 (Ceculo fondatore di Preneste) *Uolcano genitum pecora inter agrestia regem / inuentumque focis omnis quem credidit aetas*: contemporaneamente un'espressione formale di allontanamento e la verità autentica. Anche se non possiamo individuare la fonte precisa (o le fonti precise) per il racconto virgiliano di Ceculo, esisteva per questo personaggio una tradizione mitografica notevolmente antica e ricca, della quale il poeta per esplicita ammissione qui approfitta[25].

(vii) *septem illum totos perhibent ex ordine mensis...* (*G.* 4.507): Orfeo piange Euridice, *mulcentem (sc. Orphea) tigris et agentem carmine quercus*. Le versioni di Apollod. *Bibl.* 1.3.2. e di Conone, *FGH* 26F1, 45.2-3, pur essendo anch'esse con ogni probabilità di età augustea, dimostrano in modo piuttosto convincente che Virgilio non stia inventando[26].

(viii) (Il re Latino) *hunc Fauno et nympha genitum Laurente Marica / accipimus* (7.47-8). Senza dubbio esistevano ai tempi di Virgilio, come abbiamo visto (cap. 6, nn. 16-20) varie genealogie della casa reale dell'antico Lazio; risulta probabile, da un confronto di questi versi con Dion. Al. *Ant. Rom.* 1.43.1, che Virgilio, almeno in parte, non inventa[27], anche se la genealogia offertaci non è — con ogni probabilità — particolarmente antica[28].

(ix) Quando Latino dice di ricordare (7.205ss.) — *fama est obscurior annis* — che gli anziani (dettaglio significativo) degli Aurunci (cioè non del suo popolo; non è però certo in quale dei due sensi allora in vigore

---

[24] *BICS* Suppl. 52 (1987), 8, 92, n. 26, seguendo Rehm (cap. 1, n. 17), 92ss.; v. adesso la mia voce nell'*EV* s.v. *Varrone (e l'Eneide)* per alcune difficoltà

[25] *BICS* Suppl. 52 (1987), 9, 59-62, *EV* s.v. *Preneste*.

[26] C.M. Bowra, *CQ* 2 (1952), 113-26.

[27] *Antichthon* 15 (1981), 145-7, *CR* 37 (1987), 16, ecc.

[28] Schwegler (cap. 6, n. 16), 214-5. *Propter varietas opiniones hoc adiecit* (Serv.).

Virgilio intenda quel nome)[29] erano abituati a raccontare che Dardano
fosse *his ortus...agris*, cioè a Corito (anche se questo paese, dovunque sia
ubicato, non si trova né nel territorio degli Aurunci né in quello dei
Latini), spero di aver dimostrato: (i) la storia qui raccontata non è
invenzione virgiliana e (ii) la prefazione così eccezionalmente complicata che abbiamo esaminato è la formula di allontanamento più complessa che possediamo; essa viene arricchita da elementi tradizionali,
appropriati al contesto retorico e nobilitati da risonanze, un po' fumose,
di un'alta antichità, ma pure alla stessa volta dimostra un'evidente
disinvoltura, se non proprio un palese scetticismo[30].

(x) (Cartagine) *Iuno fertur terris magis omnibus unam / posthabita
coluisse Samo* (*En.* 1.15-6). Il legame tra Giunone-Tanit e Cartagine è
tradizionale[31]; Virgilio, mentre esprime un tema ereditato, si distanzia
dalle pretese improbabili di una conoscenza intima dei segreti di
Olimpo.

Aggiungo, come in appendice, *En.* 6.173: Virgilio racconta la storia
di Miseno, trombettiere di Enea, che sfida gli dei e viene, come merita,
punito, *si credere dignum est*. Che Miseno sia trombettiere, non timoniere è dato che appartiene decisamente alla tradizione antiquaria romana[32]; ma l'espressione di incertezza si lega strettamente ad *aemulus
exceptum Triton*. Traduco le ottime osservazioni dello Stinton:
«Chiaramente, Virgilio attira la nostra attenzione sul carattere favo-
loso dell'episodio, ma senza suggerire che sia di fatto falso o degno di
sfiducia. Dico, s'intende, non che Virgilio credesse a tali storie del
soprannaturale, ma semplicemente che, da poeta epico, persino da poeta
epico-filosofico, non fosse impegnato a negarle. *Si credere dignum est* è
un mezzo adoperato dal narratore per elevare il tono del discorso ("to
heighten the discourse")». Tib. Donato d'altra parte osserva piuttosto
inutilmente *ut ostenderet etiam se dubitare potuisse exsistere tantam auda-
ciam quae in suam perniciem divinum odium concitaret.*

---

[29] Rehm (cap. 1, n. 17), 64f., M. Cancellieri, *EV* s.v. *Ausoni* (una buona discussione).
[30] *Athen.* 66 (1988), 32-4, *BICS* Suppl. 52 (1987), 100.
[31] V. la nota di Nisbet ed Hubbard ad Or. *Carm.* 2.1.25.
[32] *JHS* 99 (1979), 39-40, *CR* 37 (1987), 194.

Prima di esaminare quei passi nei quali le "formule introduttive" provengono dall'indeterminatezza caratteristica dell'autore, in modo da provocare indecisione nei commentatori, o almeno una prudenza estrema e giustificata, guardiamo invece quei casi nei quali le "formule introduttive" vengono applicate a storie e versioni che sembrano essere, con ogni probabilità, delle innovazioni.

(i) *Buc.* 6.74ss. è — in qualunque modo interpretato — un passo anomalo e difficile: *quid loquar aut Scyllam Nisi, quam fama secuta est / candida succinctam latrantibus inguina monstris / Dulichias uexasse ratis. Scyllae duae fuerunt*, commenta Servio, e come abbiamo visto (cap. 2, n. 136-7), il poeta qui lancia una sfida dotta al lettore, proponendo l'identificazione di due personaggi mitologici diversi[33]. Con *quam fama secuta est* egli si estrania sia dalla propria responsabilità per l'identificazione che da una conoscenza troppo intima degli elementi favolosi ed inverosimili della mitologia.

(ii) *En.* 6.14 *Daedalus, ut fama est, fugiens Minoia regna...* è un'innovazione leggera. Nelle versioni greche dell'episodio, Dedalo arriva in Sicilia; secondo Sallustio (che forse segue Timeo) pure in Sardegna[34]; solo qui, per la prima volta, in Italia[35]. Il volo umano è un'assurdità evidente; DServ. osserva *ubique de incertis dubitat, ut* (3.578) *fama est Enceladi...* Il narratore usa le espressioni convenzionali di allontanamento.

(iii) L'albero *quam sedem somnia uolgo / uana tenere ferunt* (6.283-4). L'unica analogia classica trovata da Eduard Norden (*Aen.* 6₄, p. 216) è l'isola dei Sogni in Luciano (*Vera Hist.* 2.33), con la selva dove solo i pipistrelli nidificano. Non viene escluso che Virgilio abbia avuto una fonte precisa che adesso ci manca. Se invece l'albero viene dalla fantasia del Mantovano, è piuttosto facile, grazie alla ricca discussione di Norden, ricostruire i passi (l'antica classificazione dell'olmo, il linguaggio usato a proposito di uccelli, di sogni, ecc.) attraverso i quali il poeta è

[33] L'ipotesi di un errore virgiliano così grosso mi sembra molto improbabile; Properzio reagisce con entusiasmo.

[34] Sall. *Hist.* 2 frr. 6,7 (Maurenbrecher) = Serv. *ad* Verg. *G.* 1.14, Prisciano, *Gr.Lat.* 2.255.1.

[35] Preller-Robert (cap. 2, n. 119), 2.1, 369.

pervenuto all'immagine. Se Virgilio si mette a speculare sulla dendrologia degli Inferi, senza una fonte letteraria ovvia, diventa questo un caso primario per l'uso di un'espressione di allontanamento. Con buon senso, Tib. Donato confronta *sit mihi fas audita loqui* (6.266) ed osserva *nec debuit auctor esse in incertis*. Spieghiamo la situazione in altro modo: *En.* 6 viene scritto solo trent'anni dopo il terzo libro di Lucrezio; l'inferno è orrendo ma improbabile. Il poeta dotto calma i suoi lettori dotti coll'osservazione sporadica che non pretende di possedere dell'informazione autorevole sull'al-di-là (diversamente da certi virgilianisti eccentrici).

(iv) *En.* 7.735-6, *quem generasse Telon Sebethide nympha / fertur, Teleboum Capreas cum regna teneret.* Ebalo non è un personaggio inventato[36], ma la sua presenza in Campania è tipica della noncurante disinvoltura con cui Virgilio effettua le sue rilocalizzazioni di personaggi mitologici di secondo piano[37]. *Fertur* né garantisce né smentisce ciò che abbiamo appena detto, ma indica piuttosto la mancanza di coinvolgimento, di serietà, pure di interesse da parte di Virgilio in argomenti di questo genere.

(v) *Fama est* (*En.* 12.735) che Turno, in fretta, prima del suo ultimo combattimento contro Enea, prese la spada del suo scudiero Metisco. La struttura narrativa dei libri 7-12, e perciò dell'ultimo scontro tra i due eroi sono, ricordiamo (cap. 2, nn. 125-6), le conseguenze di una ristrutturazione radicale virgiliana di una materia leggendaria ereditata, di per sé d'ingombro e restia all'epos. L'episodio della spada sbagliata David West lo ha discusso in modo memorabile[38]: nessun guerriero "autentico" poté cingere la spada di un altro, ma Virgilio (e su questo punto sono molto d'accordo coll'amico West, v. cap. 2, n. 88) fu assai incurante dei particolari dell'armamentario bellico[39]. Certamente, se ci fosse stato uno scontro tra spada forgiata da Vulcano (12.90) e scudo forgiato dallo stesso fabbro divino, ci sarebbe stato un vero problema di struttura. L'origine divina della spada di Turno mi sembra, però, un'invenzione

[36] *BICS* Suppl. 52 (1987), 8-9.
[37] *Athen.* 66 (1988), 40.
[38] *GR* 21 (1974), 28-9.
[39] Cfr. *GR* 34 (1987), 48ss.

virgiliana (le sue fonti per la guerra in Lazio non si occupavano di tali dettagli); Virgilio è costretto a sviluppare il personaggio di Turno come avversario degno, o almeno credibile, di Enea, e lo attrezza perciò con una madre ed una spada divina (cfr. *EV* s.v. *Dauno*). Poi, per evitare le difficoltà e l'imbarazzo narrativo che si venivano così, almeno potenzialmente, a creare, di necessità la spada deve rimanere fuori dell'azione. *Fama est*, davvero: il tutto mi sembra poco probabile e poco economico. È facile capire perché Virgilio preferisca allontanarsi da una creazione così altisonante ma indebolita.

(vi) *En.* 10.791-3 Lauso si prepara per il suo ultimo combattimento per difendere suo padre: *hic mortis durae casum tuaque optima facta, / si qua fidem tanto est operi latura uetustas / non equidem nec te, iuuenis memorande, silebo*. È un passo complicato[40]: come spesso, Virgilio adopera la formula *si qua...* per esprimere la sua indeterminatezza ostinata e continua[41]; *si qua est ea gloria* (7.4) lascia aperta la domanda se la commemorazione onomastica sia in verità una consolazione per la morte o no; pure 9.446 *si quid mea carmina possunt* non rivendica orgogliosamente la capacità della poesia di immortalare un essere mortale ma esprime piuttosto con fervore la speranza che il poeta potrà realizzare quel desiderio, che rimane necessariamente al di là delle sue forze e conoscenze attuali[42]. Se il passare del tempo porta credenza all'impresa stupenda di Lauso, almeno Virgilio ne canterà: è talmente straordinaria che i coetanei del poeta non sono ancora in grado di crederci. Lauso non è un personaggio inventato[43], sebbene le sue azioni particolari lo siano, almeno fino ad un certo punto[44]. Virgilio esprime la speranza che questo paradigma fondamentalmente nuovo della *pietas*, del sacrificio, per una

---

[40] DServ. *quaeritur "si qua fides" a praeterito an de futuro dicat*; pure Servio si trova in difficoltà e Tib. Donato semplifica troppo il problema. Abbiamo ottime speranze per il commento di S. Harrison al 10° libro; con grande gentilezza, egli mi ha donato una copia della tesi di dottorato (Oxford 1986).

[41] Cfr. 10.861, 2.536, 10.828, 6.882, 7.559, ecc.

[42] Cfr. 3.433-4, 7.401, 1.603, ecc.

[43] *Origo gentis rom.* 15.1 = *FGH* 812F4 non viene più considerata come testimonianza falsa o dubbia; cfr. Dion. Al. *Ant. Rom.* 1.63.3.

[44] V. cap. 2 (n. 110): l'articolo famoso di E. Fraenkel nel *Philol.* del '32 non mi sembra decisivo.

causa indegna, di un figlio che diventa sotto certi aspetti un *alter Aeneas* italico, arriverà alla credibilità ed al riconoscimento attraverso la sua poesia. La speranza, la modestia e la confidenza si combinano per eludere una definizione precisa.

(vii) *En.* 9.590-1, *tum primum bello celerem intendisse sagittam/dicitur* (sc. Ascanius): così viene introdotto l'episodio di Numano Remulo, autonomo, inessenziale, esemplificativo, ed evidentemente inventato[45]. Virgilio prende le distanze dalla sua creazione, mentre al lettore inesperto sembra che la nobiliti con tutta l'autorità della tradizione! L'osservazione di Tib. Donato *quoniam impossibile videbatur pueri manibus robustissimum iuuenem cecidisse non se facit auctorem* non è in sé convincente: mi pare tuttavia possibile che Virgilio si sottragga ad un troppo stretto coinvolgimento col ruolo diretto di Apollo nell'episodio.

(viii) Lo stesso vale per *G.* 4.318 *amissis, ut fama, apibus morboque fameque*. «Quasi certamente invenzione propria di Virgilio» (Thomas *ad loc.*). L'αἴτιον è sia necessario che inventato; con *ut fama* viene simultaneamente nobilitato, allontanato, e pure, direi, segnalato.

(ix) *Est ingens gelidum lucus prope Caeritis amnem* esordisce Virgilio (*En.* 8.597), proseguendo con vari dettagli descrittivi: *Siluano fama est ueteris sacrasse Pelasgos...lucumque diemque* (600-1). Il legame tra Caere e Pelasgi è tradizionale; che nel panteon etrusco ci fosse una divinità Selvans è, ugualmente, fuor di dubbio: nondimeno c'è da chiedersi se Virgilio davvero lo conoscesse! Di Silvano Virgilio parla come *aruorum pecorisque deo* (601) e pure quest'associazione con Fauno (cfr. *G.* 1.10) non desta difficoltà. Ma la situazione narrativa è inventata[46] e la descrizione del *lucus* contiene molti elementi convenzionali: sarebbe affatto atipico di Virgilio descrivere in maniera dettagliata un autentico *lucus* nei pressi di Cerveteri, realmente dedicato a Silvanus / Selvans. Il poeta preferisce decorare un'innovazione narrativa con circostanziali dettagli topografici, di carattere tradizionale. Si distanzia, però, seccamente, dai Pelasgi (*de his varia est opinio* osserva Servio), così atti a confondere, per quanto talora comodi.

---

[45] Cfr. *EV* s.v. *Numano Remulo*.

[46] Cfr. una mia nota "Externi duces" di prossima pubblicazione in *RFil*.

(x) Se non nel caso che E. Paratore (comm. *ad loc.*) adoperi informazione segreta e privilegiata a noi altri ignota, non esiste una testimonianza per la fondazione di Taranto da parte di Ercole. Come, in tal caso, spiegare *Herculei, si vera est fama, Tarenti?* (*En.* 3.551). Williams (*ad loc.*) suggerisce che il poeta venga influenzato dai legami tra l'eroe e la fondazione di Crotone[47] e di Eraclea-Siri[48]. Sarebbe più semplice l'ipotesi che Taranto sia stata fondata da un discendente (spartano) di Ercole[49]. Virgilio, intendo dire, sembra che innovi, mentre magari diventa laconico. Il linguaggio nello stesso tempo nobilita ed allontana, come succede pure in varie altre narrazioni virgiliane di *ktiseis* leggendarie[50].

Prima che Enea scenda negli Inferi, Virgilio fa appello alle divinità ctonie: *sit mihi fas audita loqui* (6.266)[51]. Ciò che il poeta ha "sentito" (cioè, in verità, "letto", anche se la sostituzione non dovrebbe apparire completa e vincolante) egli lo esalta e nobilita chiedendo che gli sia concesso di sollevare un lembo del velo di segretezza. La questione non è interamente "formale" e "letteraria": non dovremmo dimenticare che Augusto stesso era un iniziato ad Eleusi[52]. Se un poeta augusteo parla dell'ispirazione che lo muove nel linguaggio tradizionale delle Muse, abbiamo imparato a prendere sul serio sia l'argomento che il modo di espressione; in modo simile[53], se Virgilio manifesta la speranza che gli sia lecito *audita loqui* (i) è ben possibile che egli abbia il sospetto di ritenere nella memoria certi particolari che proprio dovrebbero rimanere preclusi all'orecchio del *profanum uulgus*; (ii) egli rivendica senz'altro l'autorità della tradizione e (iii) non pretende di avere una conoscenza diretta[54].

---

[47]   Ov. *Met.* 15,12-59, J. Bérard, *La colonisation grecque*₂ (Paris 1957), 143, 409.

[48]   Licofrone, 978-83, Bérard (n. 47), 409-10.

[49]   V. Solino 2,10 e le varie spiegazioni di Serv. a DServ. qui.

[50]   V. sopra a proposito di *fertur* 7.735 (p. 127), *ferunt* 7.765 (p. 119), *ferunt* 10.189 (p. 119), *dicitur* 7.409 (p. 124), *omnis quem credidit aetas* 680 (p. 126), Heinze (premessa n. 5), 242, n. 3: forse da paragonare pure 6.14 (126): l'arrivo di un eroe greco nell'ovest ed il distanziamento del poeta.

[51]   *En.* 6.266; cfr. Norden, *Aen.* 6₄, 208-9; *aliter*, Heinze (premessa, n. 5), 242, n. 1.

[52]   G.W. Bowersock, *Augustus and the Greek world* (Oxford 1965), 68, P. Graindor *Athènes sous Auguste* (Cairo 1927), 19, 138.

[53]   Molto appropriato il paragone proposto da Norden (qui): *Il.* 2.485-6, Apoll. Rhod. 4.1380-1: le Muse *sanno* talmente più del poeta.

[54]   Serv. *de alta dicturus prudentia miscet poeticam licentiam*; Tib. Donato: *ne temerarius*

Dobbiamo infine discutere i passi nei quali sembra che la funzione principale delle formule usate sia questa di voler allontanare il poeta da una responsabilità diretta per la narrazione di eventi o naturali od umani che contengono un elemento del miracoloso o dell'improbabile. Abbiamo già visto la storia tradizionale del percorso dell'Alfeo (p.123)[55], la versione (quasi-) tradizionale dell'arrivo aereo di Dedalo a Cumae (p.126); possiamo comparare *En.* 3.578 Encelado ed Etna (p.122s.) e 3.416, lo sbocco dello stretto di Messina (p.123). Simile il caso di *En.* 10.565 *Aegaeon qualis centum cui bracchia dicunt* dove Tib. Donato osserva: *morem suum etiam hoc loco poeta servavit, ut quod incredibile fuerat et fabulosum non se proferret auctore.* In termini analoghi, il commento dello Ps. Probo a *Buc.* 6.31 nota (Thilo-Hagen 3.2.332.5): *proprium in Vergilio est, ut nihil magnum sua auctoritate confirmet, sed aut a Musis acceptum dicat aut admirabile famae tribuat. hoc quidem diffidentiae dicunt: nam si confirmet, inquiunt, opiniones hominum ad credendum facilius inducat sed poeta fortius probat, cum suae opinioni etiam famam consentire pronuntiat, ut est illlud...,* citando *En.* 1.15 (p.125), 3.578s. (p.122s), 6.14 (p.126), 7.765 (p.119) e *Buc.* 6.74-5 (p.126). *Quae nisi famae auctoritas fulciat fabulosa videntur et inania.* Strettamente conforme pure *En.* 4.178-80 (la genealogia di Fama): *illam Terra parens, ira irritata deorum, / extremam, ut perhibent. Coeo Enceladoque sororem / progenuit;* vediamo qui come Virgilio ricorra ad un'altra formula, sempre ad evitare la responsabilità narrativa per i dati sulle prime generazioni della mitologia, mentre offre l'impressione che stia raccontando storie tradizionali. *Quotienscumque fabulosum aliquid dicit, solet inferre "fama est", mire ergo modo, cum de ipsa Fama loqueretur, ait "ut perhibent":* Servio si concede, direi, una scintilla di umorismo secco e pedantesco. È da notare — il fatto è chiaramente paragonabile — l'accumulo di espressioni di "allontanamento" allorché Virgilio scrive sull'Oltretomba: *En.* 6.107 (p.123s), 266 (p.130), 283 (p.126s.); a quei passi potremmo aggiungere 10.641 *morte obita qualis fama est volitare figuras,* dove Tib. Donato osserva: *cognito et probato iunxit incognitum et quod probari non possit.*

---

iudiceretur. Cfr. pure Call. *H.* 5.55-6.
[55] Cfr. Livingston Lowes (premessa, n. 11), 359-62 per la storia poetica dell'Alfeo.

In G. 1.415 *haud equidem credo*, Virgilio si dissocia da una spiegazione teologica della preveggenza dei Corvidi (in contrasto con G.
4.219-27, le api). Ho il sospetto (che il Thomas sembra non condividere)
che Virgilio si conceda un piccolo scherzo[56] a spese delle teorie stoiche
della *divina mens* nel mondo degli animali[57]. Le api (G. 4.42) *saepe etiam
effosis, si uera est fama, latebris / sub terra fouere larem. Si credendum est,
apes posse terram effodere* brontola Servio! Un tale linguaggio, dice Thomas[58], è tradizionale ed appropriato per la descrizione di una "meraviglia" della natura. In G. 3.531s. *tempore non alio* (durante la peste)
dicunt regionibus illis / quaesitas ad sacra boues Iunonis Virgilio sembra di
nuovo indicare la sorpresa, provocata da un'altra variazione miracolosa
del consueto ordine delle cose, per quanto non tutti i dettagli qui siano
chiari.

Alle Muse Virgilio chiede quale divinità abbia salvato i Troiani
dall'incendio delle loro navi: *dicite, prisca fides facto, sed fama perennis*
(*En.* 9.79). Si rivela che sia stata la Magna Mater, la quale trasformò le
navi in ninfe marine, in un episodio che è inventato e molto criticato
dagli specialisti antichi[59]. Sebbene inventi, il poeta fa appello alla *prisca
fides*, cercando così legittimazione (cfr. p. 128 per *uetustas, En.* 10.792);
la metamorfosi è favolosa e sembrava perciò disdicevole ad alcuni.
Virgilio simultaneamente mette in risalto il "miracolo" e ne prende le
distanze[60].

In *En.* 4.203ss. Iarba *amens animi et rumore accensus amaro / dicitur
ante aras...multa Iovem...orasse*: l'uso di *dicitur* qui appare completamente anomalo, e mi stupisco che sia in generale sfuggito all'attenzione
degli studiosi[61]. Non riusciamo a comprendere come mai Virgilio abbia
inteso conferire una speciale enfasi a questo momento narrativo.

---

[56] *Proponit sibi questionem acerrimam et de intima philosophia* (Serv.)! *Contra*, Stinton
(n. 2), 64.

[57] V. Richter *ad loc.*, Cic. *Div.* 1.120 con la nota di A.S. Pease.

[58] (n. 18), 80; cf. F. Leo *Ausgew. kl. Schr.* 2 (Roma 1960), 104.

[59] V. i passi raccolti ad *Athen.* 66 (1988), 50, n. 131.

[60] Tib. Donato: *huius, inquit, facti...rogatae docuerunt*: risulta chiaro dalle note di
Serv. e DServ. che per alcuni lettori il passo fosse difficile. Norden (*Aen.* 6₄, 208)
paragona, bene, Apoll. Rhod. 4.1380ss. (un contesto molto simile).

[61] "Strano" ("odd") dice Austin; come se Virgilio stesso fosse a Cartagine, Pease *ad
loc.* con Heinze (premessa, n. 5), 242, n. 2.

Sul problema dell'invenzione virgiliana, i critici antichi confondono, fuorviano, esasperano il lettore moderno attento ed intelligente. Quando si tratta però della dipendenza del poeta dalla *fama*, dalle notizie tramandate, dai resoconti, e dalle informazioni, o dalle "tradizioni", essi offrono assai più per la comprensione delle sfumature e per il sostegno erudito al lettore. Ma la loro categorizzazione è inadeguata, le loro argomentazioni spesso deboli, e la loro conoscenza delle tradizioni anteriori a Virgilio insufficiente. Il dibattito scientifico sull'argomento negli ultimi cent'anni non è andato, meglio ammetterlo, molto al di là di una cauta espansione delle categorie e delle idee stabilite ca. 410 d.C., a parte l'analisi illuminante e proficua delle testimonianze greche. Qua e là fra gli studiosi recenti si riscontra tuttavia qualche progresso (v. p. 125 per l'analisi di *En.* 6.173 offerta dallo Stinton), senza alterare molto le nostre concezioni di base. In questo capitolo, abbiamo cercato di ampliare la scala e la profondità della discussione, anche se non abbiamo alterato molto le nostre percezioni fondamentali. Ma sarei molto contento se fossi riuscito a dimostrare da un lato che nel suo uso di *fama*, *dicitur*, ecc., Virgilio sia persino più indiretto, ambiguo, polivalente del solito, dall'altro che lo studio, normalmente negletto e sdegnato, delle fonti del poeta ha anche a tale riguardo qualcosa di solido e di prezioso da offrirci.

9. Il poeta-gazza

La gazza (cito dal *Diz. Encicl. Ital.*) «ha l'istinto di rubare e nascondere gli oggetti luccicanti». Quando escogitai questo titolo un po' fantasioso, pensavo a due possibilità di giustificazione.

Primo, al mondo colorito, luccicante, qualche volta proprio lussuoso degli eroi virgiliani, che spesso vestono di porpora e d'oro, bevono vino da coppe ad alto rilievo, abitano in grandi palazzi, degni del mondo lontano e fastoso di Omero, con statue, trofei e travi dorate. Secondo, — e più seriamente — pensavo alle tendenze, ai procedimenti del poeta nella creazione di un mondo fisico, pratico, e pure in certi casi concettuale per i suoi personaggi. Non è un mondo coerente: preferirei definirlo come impressionistico. Nella costruzione dell'ambiente Virgilio non mira al vero ma al verosimile, cercando di attrarre e di coinvolgere un pubblico augusteo. L'impressionismo e l'incoerenza sono, come abbiamo visto, caratteristiche abbastanza comuni del *modus operandi* di Virgilio (pp. 89s, 91ss.); pure il loro scopo, quello di avvicinare Enea al mondo augusteo, non ci sorprende (cfr. p. 139). Virgilio crea l'ambiente eroico — per cambiare metafora — con forbici e colla, come fanno i bambini, oppure quegli adulti non ancora rassegnati al trionfo dell'ordinatore[1].

---

[1] Per gli anacronismi virgiliani, v. la mia voce per l'*EV*, scritta anni prima della pubblicazione del primo volume e basata su una conferenza tenuta a Cambridge nel '68 e non pubblicata. V. inoltre, F.H. Sandbach, *Anti-antiquarianism in the Aeneid PVS* 5 (1965-6), 28-38; per la ristampa recente v. cap. 10, n. 27; W. Kroll, *Studien zum Verständnis der röm. Literatur* (Stuttgart 1924), 178-84. Sempre indispensabili i due libretti di L. Lersch (Bonn 1836, 1843), *De morum in Virgili Aeneide habitu* ed *Antiquitates Virgilianae*.

Esiste una distinzione, non perfettamente chiara ed esatta, ma abbastanza utile e fondata, tra prima e seconda metà dell'epos: nella prima, i Troiani vivono in un certo senso ancora in un mondo omerico e non fanno molto che non appartenga a quell'ambiente; sotto certi aspetti, però, già si romanizzano.

È molto significativa, p.es., l'impressione anomala che offre la città di Cartagine. Osserviamo: (i) il tempio di Giunone (1.446ss.), con cicli di pitture mitologiche, come p.es. a Roma., ad Atene e a Delfi, e con *nixaeque aere trabes*[2] — l'architrave del tempio si appoggia su capitelli di bronzo.

(ii) Didone (1.427-8) sta già costruendo un teatro, ignoto nel mondo predrammatico di Omero: *immanisque columnas / rupibus excidunt, scaenis decora alta futuris* allude alla *scaenae frons*, uno sviluppo recente nell'architettura teatrale, per l'elaborazione della parete di fondo del palcoscenico[3]. Cfr. p. 105.

(iii) I Cartaginesi hanno già *strata viarum* (1.422), strade costruite secondo il sistema classico romano[4]; (iv) *hic portus alii effodiunt* (427): il porto ad acqua alta presuppone le navi mercantili a grosso carico dell'epoca ellenistica. (v) Pure la terminologia è moderna: Virgilio parla della *testudo* (505) del tempio di Giunone, degli *atria* (726) del palazzo di Didone, dove i servitori portano non solo pane (come già in Omero), ma pure tovaglioli, (702) *tonsisque ferunt mantelia villis*. Una tale densità descrittiva avrà necessariamente avuto, direi, una sua funzione morale: come vediamo a 1.363-4 *portantur auari / Pygmalionis opes pelago* (in contrasto con la partenza dei rifugiati troiani)[5], Cartagine è già una città ricca, lussuosa, moderna, e perciò piena di insidie morali (v. già Kroll (n. 1), 179): i dettagli concreti definiscono la trappola morale[6].

---

[2] Preferisco leggere non *nexaeque* ma *nixaeque*; v. il commento di R.G. Austin *ad loc.*
[3] M. Bieber, *The Greek and Roman Theater* (Princeton 1939), 333.
[4] V. il commento di K.C. Coleman a Staz. *Silv.* 4.3, G. Radke, *Viae publicae romanae* (Bologna 1981), 47-59. Nell'*EV* manca *sterno*.
[5] *PVS* 13 (1973-4), 6, *Vergilius* 32 (1986), 14-5, ib. 35 (1989), 18.
[6] Sulle pratiche magiche di Didone (4.493-521), pratiche odiate a Roma e decisamente post-omeriche, v. *EV* s.v. *Magia* e soprattutto R. Gordon in *Homo Viator* (Bristol 1987), 231-241 *passim*.

In confronto col palazzo di Didone, quello di Priamo, nel 2°, non si delinea con contorni molto precisi: è certamente vasto; ma i tentativi di individuare uno schema architettonico specificamente greco (o romano, o misto) non sono stati molto fruttuosi[7]. Le *cavae aedes* di 2.487 suggeriscono il *cavaedium* della casa romana; a 512 *aedibus in mediis nudoque sub aetheris axe* indica un tipo di *compluuium*[8]. Possiamo, direi, parlare del palazzo di Priamo come omerico (o, in senso più generale, greco), ma saltuariamente romanizzato[9].

Pure le navi di Enea rivelano qua e là un tentativo di modernizzazione parziale[10], in contrasto con l'Argo in Apollonio, una nave strettamente omerica a parte l'*hypozoma*, che però potrebbe essere antico (cfr. 1.368)[11].

Nella gara del 5° almeno la nave Chimaera, *urbis opus* (5.119, cf. 223), grossa come una città, è trireme; *triplici pubes quam Dardana uersu / impellunt* (119-20). Servio nota forse giustamente *omnes enim triremes fuerunt*, perché una corsa tra biremi e triremi sarebbe stata ovviamente disequilibrata. Altrove, però, Virgilio parla di biremi (1.182, 8.79); ce ne sono pure nella flotta etrusca (10.207), flotta che potrebbe farci pensare alla thalassocrazia arcinota dai testi storici. La costruzione di biremi e triremi era stata molto discussa da storici ed antiquari[12].

Le navi virgiliane hanno inoltre speroni dentati di bronzo[13], polene[14]

---

[7] E. Wistrand, *Klio* 38 (1960), 146-54 = *Opera Selecta* (Stockholm 1972), 352-60, id., *Eranos* 37 (1939), 28-37, Sandbach (n. 1, 1965-6), 29-30. C. van Essen *Mnem* 3.7 (1939), 225-36.

[8] Mancano le voci *Architettura* e *palazzo* nell'*EV*. V. Austin a 2.453.

[9] Wistrand (n. 7, 1960), 152-3 = (n. 7, 1972), 358-9.

[10] S.L. Mohler *TAPA* 79 (1948), 46-62, *EV* s.v. *Navis* (Gianfrotta), Sandbach (n. 1, 1965-6), 26-8.

[11] Da notare in AR una strana incongruenza tra personaggi modernizzati (pensano ed agiscono, voglio dire, come coetanei del poeta) e mondo circostante, ricostruito con pedanteria antiquaria, a parte qualche dettaglio del culto: Sandbach (n. 1, 1965-6), 33-4, Horsfall (n. 1), 152; v. l'ampia discussione di E. Peschties, *Quaestiones...archaeologicae de A.R. Arg.*, diss. Königsberg 1912, H. Fränkel *Noten zu den Argonautika des Apollonios* (München 1968), indice par. 1.31.

[12] Thuc. 1.13.2, 14.1, Varrone *ap. DServ. ad Aen.* 1.182: le biremi sono molto più recenti della guerra troiana.

[13] 5.143, cfr. 1.35,7.186 (trofei), 10.301 — etruschi.

[14] 5.116- 23, cfr. 10.171, cfr. P. Hardie in *Homo Viator* (n. 6), 163-71.

ed àncore (1.169, 6.4, 901, subentrate alle pietre pesanti del mondo eroico): tutti e tre riconoscibili come dettagli "moderni". Enea è già un ammiraglio — che partendo da Trapani naviga a controbordo (5.830): se non proprio un equivalente eroico di Marco Agrippa, almeno un Caio Duilio primitivo! Mi soffermo molto brevemente su due altri aspetti dell'anacronismo nei primi cinque libri:

(i) La religione. Nel coprirsi la testa durante il sacrificio (3.545-7), nell'offrire i *suovetaurilia* (5.96-7), nel circondare una città fondata di recente col *primigenius sulcus* (5.755,7.157), nel celebrare i riti commemorativi annuali per i morti della sua famiglia[15], Enea si comporta già da romano di osservanza stretta; porta i Penates da Troia in Italia ed in quel senso fonda — o inventa — la religione romana, diventando egli stesso modello perpetuo della *pietas*. Nel culto che rende agli dei è perciò inevitabile che in qualche modo già anticipi le pratiche della religione romana[16].

(ii) I dettagli romani dei giuochi nel 5° sono stati discussi più volte[17]. I Troiani usano la tromba (un'invenzione tradizionalmente etrusca) per segnalare l'inizio (113; cfr. 137, 139, 145 *carcer*); Virgilio parla di un *circus* (109, 289), diviso in *cunei* (664); l'applauso rimbomba (148); i premi sono esposti (109, 292): per i vincitori ci sono premi di palme

---

[15] 5.59s., 64s.; Enea era ritenuto fondatore dei *Parentalia*, Ov. *F.* 2.543.

[16] Oltre alle indicazioni in n. 1, v. C. Bailey, *Religion in Virgil* (Oxford 1935), H. Lehr, *Religion und Kult in Vergil Aeneis* (diss. Giessen 1934), L. Beringer, *Die Kultworte bei Vergil* (diss. Erlangen 1932). L'*EV* sembra non contenere una discussione generale. Dopo tanta bibliografia, mi son permesso una discussione molto sintetica; aggiungo qualche dettaglio *ex. grat.*: 3.63 altari ai *di manes*, 4.244 chiudere gli occhi del defunto e poi riaprirli, 4.61 sacrificio di una mucca a Giunone, 4.370 incenso non omerico, 4.457 *sacellum* in onore dello sposo defunto, 5.64s. i nove giorni corrispondono al *novemdiale* romano, romana pure (5.79) l'offerta di fiori e la presenza (5.760) di un *flamen* (Bailey, 294: gli onori tributati da Enea alla memoria di Anchise ci fanno inevitabilmente pensare ad Ottaviano e Giulio Cesare); cfr. 5.237 *proiectio* degli *extra*, 366 *vittae* sulla vittima, 7.154 e 237 rami di olivo e *vittae* degli ambasciatori, 6.251 sacrificio di una *vacca sterilis* a Proserpina, 6.244 *probatio* delle vittime, 3.441-52, 6.65-76 consultazione dei libri sibillini, 2.693-700, 7.107-19 osservazione di portenti ed auspici; v. Grassmann-Fischer, cap. 1, n. 8.
Si può estendere l'elenco quasi *ad infinitum*. V. Ig. fr. 5 per il solito arzigogolo.

[17] *EV* s.v. *Ludi* (Polverini); adeguato il commento di R.D. Williams (1960); ottimo l'articolo di H.A. Harris, *PVS* 8 (1968-9), 14-26.

(111) e di alloro (246), sul modello classico, mescolati con premi preziosi omerici. Secondo il costume greco, i concorrenti sono nudi ed unti (135); i pugili (401-5) usano il cesto terribile dei pugili romani[18]. Vale la pena osservare che anche intorno alla città di Latino (7.162-3)[19] *pueri et primaeuo flore iuuentus / exercentur equis domitantque in puluere currus*; a 9.245 Niso ed Eurialo hanno studiato il terreno *uenatu adsiduo*; nel 4° Ascanio è cacciatore entusiasta (156-9). La caccia, certo, è comune, anzi frequentissima in Omero; ma l'enfasi virgiliana sulla valorosa gioventù che si prepara alla guerra attraverso la caccia è decisamente augustea. I giovani latini, troiani e siciliani sia nel 5° che nel 7° si comportano come i coetanei di Virgilio nel Campo Marzio. Benché sempre rimanesse a Roma qualche traccia di opposizione, in base al pregiudizio indigeno anti-ellenico contro lo sport[20], Augusto incoraggiava l'atletica per motivi pratici ed ideologici, per il vantaggio di una gioventù in forma, per imitazione rispettosa della Grecia classica e per rimediare alle molte spaccature sociali, politiche e diplomatiche[21]. Quando Enea dice (3.280) *Actiaque Iliacis celebramus litora ludis* Virgilio allude ai Ludi Actiaci che Augusto celebrò sia ad Anzio (Nicopolis) che a Roma (v. n. 21). Nel campo atletico, il punto principale di contatto tra Enea ed Augusto è evidentemente il *lusus Troiae*[22]: Virgilio sottolinea la continuità da Enea ad Augusto (5.596-603), tuttavia trovo convincenti i motivi di K.W. Weeber[23] per giudicare il *lusus* un'invenzione di epoca sillana.

Accenno infine ad un altro aspetto dell'anacronismo, più impalpabile, ma con buoni precedenti apolloniani: il poeta attribuisce spesso ai suoi personaggi idee e reazioni indubitabilmente post-eroiche. Ne do qualche esempio:

[18] Si pensa inevitabilmente alla statua di bronzo scoperta nel 1884, adesso nel Museo delle Terme, W. Helbig, etc. *Führer dürch die öffentlichen Sammlungen... in Rom* 3₄ (Tübingen 1969), 184-5.

[19] J. Aymard, *Les chasses romaines*, BEFR 171, Paris 1951, 108-28. La voce *caccia* nell'*EV* sembra trascurare l'aspetto ideologico.

[20] N.K. Petrochilos *Roman attitudes to the Greeks* (Athens 1974), 177-82, Harris (n. 17), 18, id. *Sport in Greece and Rome* (London 1972), 49-59 *passim*.

[21] Harris (n. 17), 17-9, (n. 21), 55-9, G.W. Bowersock, *Augustus and the Greek world* (Oxford 1965), 82-4, W.W. Briggs *Stadion* 1.2 (1975), 276-9, Svet. *Aug.* 43.2-45-2 col commento di J.M. Carter.

[22] Svet. *Aug.* 43, *En.* 5.545-602, BICS Suppl. 52 (1987), 23.

[23] *Anc. Soc.* 5 (1974), 189ss.

(i) I rapporti omosessuali tra Niso ed Eurialo[24]; (ii) l'avversione così diffusa a Roma per la magia e gli orientali[25]; (iii) l'aspetto dei Troiani che assomiglia a quello dei barbari giganteschi del nord così temuti dagli autori etnografici[26]; (v) l'ostilità romana verso Cartagine[27]; (vi) gli elogi della vita povera e semplice[28]; (vii) il concetto di acqua e cielo come beni di tutti, usato da Ilioneo, e valido secondo la legge romana[29]; (viii) i passi dove personaggi virgiliani adoperano linguaggio tecnico stoico, *exercere* 3.182, 5.725, *praecipere*, 6.105.

Arriviamo adesso all'aspetto più ovvio del contatto tra età eroica ed augustea, cioè all'importanza della continuità, o meglio, in senso inverso, alla legittimazione attraverso la retrodatazione: coll'attribuire una pratica ai Troiani, antenati di Augusto e di Roma, il poeta conferisce a quella pratica serietà, anzianità, dignità (anche se l'attribuzione è falsa ed inventata, come sa bene ogni lettore informato), mentre aiuta il lettore più ingenuo ad immedesimarsi sempre di più col mondo di Enea e con i valori di quel mondo. I versi sulla continuità del *lusus Troiae*, appena menzionati, e sull'apertura della porta di Giano (7.601-6) sono arcinoti; anche attraverso le profezie Virgilio può insistere sulla continuità di costumi, come, per es., in 3.408-9 (Eleno sul modo romano di sacrificare), o 8.268-72 (Evandro sui riti in onore di Ercole all'Ara Maxima). Non indugio ad esaminare l'insistenza di Virgilio sulla continuità tra Troia e Roma[30] né l'uso comune di *nunc* per mettere in rilievo il persistere di un nome, un rito, un costume dall'epoca eroica fino ai suoi tempi[31]. Il simbolo forse più chiaro ed esplicito della continuità è la genealogia: parlo non solo della discendenza Enea-Augusto (un albero che ci ricorda come non ci potrebbe mai essere stata né un'*Eneide* né una leggenda nazionale augustea di Enea senza l'intervento, una genera-

---

[24] 5.296, 334; cfr. 10.324-7, 12.391-4.

[25] Per la magia v.n. 6; orientali: 9.614-20 e *RFil* 117 (1989), 57-61.

[26] A.N. Sherwin-White, *Racial Prejudice in Imperial Rome* (Cambridge 1970), indice s.v. "size".

[27] 1.16-22; cfr. 4.622-9, *PVS* 13 (1973-4), 1-3.

[28] 12.517ss., 8.359-63, 3.57, 9.603ss.

[29] 7.230; cfr. Kroll (n. 1), 183s.

[30] 1.5-7, 261-79, 6.756-9, 8.731, 12.826-8.

[31] 6.234, 7.3, 708, 8.99, 348, 12.134.

zione prima, di Giulio Cesare[32], ma anche, p.es., di quella dei Claudii, da Clausus condottiero dei Sabini (7.706-9), degli Atii (famiglia della madre di Augusto), da Atys, amico di Ascanio (5.568-9), e di altre famiglie romane dai capitani delle navi nella corsa nel 5° [33].

Provocatoria la scelta della *gens Sergia* (121): il loro antenato Sergestus *furens animis* (202) combina un naufragio (202-23) che inevitabilmente ci fa pensare al colpo di stato combinato da L. Sergio Catilina. Virgilio mescola elementi di simbolismo storico, altamente significativi, con brani di erudizione arcana.

Guardiamo adesso al mondo "quotidiano" degli ultimi sei libri. Abbiamo già visto che Enea si muove in un mondo omerico, ma, sotto certi aspetti, molto aggiornato. L'eroe diventa una specie di Ulisse romanizzato. Negli ultimi sei libri il profilo del problema si altera perché il mondo circostante non è più esclusivamente letterario, eroico, omerico: la trama si svolge in Italia, con una tradizione letteraria[34] diversa (sia in greco, da Ellanico a Dionigi, che in latino, da Nevio ed Ennio in poi), e con un passato particolare, ampiamente indagato e ricostruito di recente da Varrone. Dovremo perciò essere pronti a districare almeno tre elementi letterari: (i) Omero; (ii) la ricostruzione antiquaria e (iii) il passato "continuo" romano con implicito il presupposto che le cose non si siano alterate molto in Italia durante tutta la storia dei re e della repubblica. Inoltre, dovremmo essere disposti ad ammettere la possibi-

---

[32] *BICS* Suppl. 52 (1987), 23-4, *Vergilius* 32 (1986), 9-11.

[33] 5.116-123: V. F. Castagnoli *Stud. Rom.* 30 (1982), 8, n. 42, T.P. Wiseman, *GR* 21 (1974), 154, Horsfall, *BICS* Suppl. 52 (1987), 22-3, *Vergilius* 32 (1986), 11.

[34] Sui *nostoi* di Enea secondo Dionigi e Varrone v. adesso l'ottima discussione di J. Poucet, *MEFR(A)* 101.1 (1989), 63-95. Poucet mi prende leggermente in giro (65, n. 13); non ho mai, però, preteso che possiamo ricostruire proprio la narrazione varroniana del *nostos* (che corrisponde ad *En.* 3). Nei passi che Poucet cita (*EV* s.v. *Enea* 228, *Vergilius* 32 (1986), 9-10, *BICS* Suppl. 52 (1987), 23s.) parlo della leggenda di Enea nell'insieme; la mia definizione dell'86 è quella più sfumata! Qua e là ripeto, Dion. Al. ci offre un'impressione approssimativa (sono completamente d'accordo coll'amico Poucet) della versione varroniana: altrove i poveri resti di Varrone non concordano con il testo di Dion. Al. Forse Varr. *res. hum.* 3 ap.Ps.Prob. *ad Buc.* 6.31 (Th.-H. 3.2.336.25ss.), non citato da P., può offrirci un'idea più ricca della narrazione varroniana dei *nostoi.* La mia voce nell'*EV Varrone; l'opera varroniana e l'Eneide* elenca alcuni punti di contatto già notati da Servio. Per le avventure di Enea nel Lazio, dobbiamo aggiungere Ov. *M.* e *F.* alle nostre indagini.

lità che il poeta sia stato ispirato dai monumenti (tumuli, trofei, templi, statue, affreschi, iscrizioni) senza trascurare il fatto che Virgilio sembra non abbia avuto un interesse uguale per tutti i campi, tutti i tipi di dettaglio necessari per la ricostruzione di un'Italia primitiva (p. 43s.). D'altro canto, non tutte le fonti disponibili erano ugualmente attraenti o stimolanti per il poeta.

Guardiamo, perciò, il contributo di Omero: egli descrive già grossi palazzi (di Priamo, di Menelao, di Alcinoo) senza offrire all'imitazione tanti dettagli architettonici[35]; attribuisce ai suoi eroi, in generale l'uso di oro e di porpora, un colore talora di lutto, come a Roma[36]; in modo simile, il costume di ammucchiare i doni funebri sul rogo appartiene a entrambi i mondi[37]. Sul campo di battaglia, lo scudo circolare (comune in Omero e nell'Italia arcaica[38]) si trova accanto allo *scutum* rettangolare del legionario[39].

Le armi virgiliane sono normalmente di ferro (secondo l'uso moderno, ma v. 7.743 per un *aereus ensis* in un contesto primitivo), in contrasto con l'armatura (sia eroica che moderna) di bronzo[40]. Gli arcaismi materiali di Virgilio non sono omerici.

(ii) Abbiamo già visto (65s., 114) i dettagli di origine antiquaria riguardo ai preparativi per la guerra ed al modo di dichiararla. Molti particolari del culto religioso saranno di origine varroniana[41]. Lo stesso vale per alcune armi meno comuni: *dolones* (7.664), *agrestis sparus* (11.682), *pura hasta* (6.760) e, molto probabilmente, le varie armi di origine straniera (p. 116). L'idealizzazione dei Sabini[42] potrebbe in

---

[35] Kroll (n. 1), 180, Sandbach (n. 1, 1965-6), 28, T.D. Seymour, *Life in the Homeric Age* (New York 1907), 178-207.

[36] *En.* 6.221, *Il.* 24.796.

[37] *En.* 6.220-2, 11, 72-5, *Il.* 23.166-76, Seymour (n. 36), 477.

[38] Insufficiente *EV* s.v. *Armi*.

[39] Sandbach (n. 1, 1965-6), 31.

[40] Sandbach (n. 1, 1965-6), 30-1.

[41] Anche se non sempre facilmente da identificare. V. la voce nell'*EV* s.v. *Varrone*: Servio normalmente cita Varrone o dove non possiamo confermare il debito del poeta, o dove poeta ed antiquario sono in disaccordo. Ma cfr. Macr. 3.6.17.

[42] *G.* 2.513-532; cfr. *En.* 7.707-22.

teoria contenere elementi varroniani[43], come anche la descrizione rinomata e non pienamente elogiativa (9.603-13; cfr. 7.746-9) della vita primitiva italica[44]. Tuttavia, forse l'unico dettaglio preciso della "disciplina et vita" di cui possiamo garantire l'origine varroniana è 7.176[45] *perpetuis soliti patres considere mensis.* Delle genealogie varroniane abbiamo appena parlato; pure molti altri nomi, genealogie e leggende locali, come abbiamo visto (pp. 112, 113s.), avranno avuto un sapore antiquario inconfondibile.

Vorrei osservare *en passant* un silenzio curioso in Virgilio: malgrado l'orgoglio locale dei Transpadani ai tempi dell'*Eneide*[46] e malgrado l'origine mantovana ed il nome in parte etrusco del poeta[47], non esistono tracce sicure e decise — a dispetto di varie affermazioni neoromantiche piuttosto note[48] — di una conoscenza attiva da parte di Virgilio del "suo" popolo e delle leggende e superstizioni etrusche. L'unica leggenda raccontata per esteso nel catalogo del 10° (187-95) è di origine greca (v. p. 109), mentre sulla *ktisis* di Mantova stessa Virgilio, con ogni probabilità, segue Varrone[49]; i dettagli della costituzione sono rabberciati da varie fonti[50]. La stessa osservazione negativa vale per l'elemento celtico, ogni tanto rivendicato per Virgilio[51]. Non nego la presenza di qualche parola, pure di qualche etimologia celtica nel testo (cf. cap. 1, n. 19, cap. 1, n. 5, cap. 7, n. 60): ma non si tratta di un fattore di rilievo nell'*Eneide.*

[43] Per Virgilio, come altrove nella letteratura latina, sono Sanniti i Sabelli, Sabini i Sabini! *EV* s.v. *Sabini* (Horsfall).

[44] C. Letta, *Athen.* 62 (1984), 3-30, 416-39 non è pienamente affidabile: v. *BICS* Suppl. 52 (1987), 59, n. 40. Servio a 9.600 nota *Italiae disciplina et vita laudatur, quam et Cato in Originibus et Varro in gente populi Romani commemorat;* p. Catone, v. cap. 2, n. 117. In generale v. *EV* s.v. *Numano Remulo* e *Varrone.*

[45] Varrone *de vita* (fr. 37 Fracc.) secondo Servio.

[46] Cap. 2, n. 92, *BICS* Suppl. 52 (1987), 6, n. 32, S. Mratschek, *Athen.* 64 (1984), 154-89.

[47] *BICS* Suppl. 52 (1987), 9-10, K. Büchner *P. Vergilius Maro* (estratto della voce *P. Vergilius Maro* in PW) 17.53.

[48] Alla bibliografia raccolta in *BICS* Suppl. 52 (1987), 100, nn. 95, 96, aggiungiamo P.T. Eden *PVS* 4 (1964-5) 31-40.

[49] Con 10.198-201 cfr. Plin. *Nat.* 3.115-6 Sil. 8.598-9.

[50] *Il.* 2.668, Caes. *BG* 1.12.4, Varr. *res hum.* 3 *ap.* PsProb. *ad Buc.* 6.31 (Th.-H 3.2. 337.8-9).

[51] *EV* s.v. *Gallicismi,* Zwicker (cit., cap. 1, n. 5).

(iii) Abbiamo già notato elementi dell'uso e del linguaggio contemporaneo romano nel lessico e nella pratica virgiliana della guerra, del governo, della religione. Nell'*EV* s.v. *anacronismi*, offro (p. 152) un elenco di 28 parole (da *ala, adoreus, ancile* a *turma, uina inuergere* e *uittae*)[52] di questo genere. La consuetudine è già consolidata nel lessico epico: Ennio adopera *pila, legiones, trabes rostrata*[53] e DServio annota bene a 10.526 *nisi forte usum temporis sui heroicis temporibus voluerit applicare*. Come conseguenza della trama dei libri 9-12 e delle ampie letture di Virgilio in campo storiografico[54], dove l'argomento poliorcetico era da tempo apprezzato e sviluppato, gli assedi (sia del castro troiano che della città di Latino) sono particolarmente modernizzati[55], anche se il poeta non sembra capire perfettamente tutti i risvolti tecnici.

(iv) Ho cercato di spiegare altrove i motivi della mia convinzione che Virgilio non fosse viaggiatore od archeologo. La sua topografia, i dettagli visivi non sono autoptici[56]: la tomba di Camilla (11.594) non era necessariamente un tumulo conosciuto da Virgilio[57]; la massiccia pietra di confine di 12.896-8 è un ricordo non di una gita del poeta nella campagna romana, ma di Omero[58]. I particolare un ricordo non di una gita del poeta nella campagna romana, ma di Omero[59]. I particolari iconografici della *Heldenschau* nel 6° non sono allusioni in anteprima al Foro di Augusto ma testimonianza dell'uso delle *Imagines* di Varrone[60].

Tra tutti questi elementi Virgilio riesce a stabilire equilibrio e compromesso. Se non guardiamo il testo con gli occhi di un Giulio Igino, non troviamo tensione né difficoltà, ma piuttosto qualche indicazione della varietà delle fonti del poeta. Enea abita in un mondo dove, grosso modo, pure Orazio, Mecenate ed Augusto si troverebbero a loro agio.

[52]   Sul *contubernium* implicato in 8.515, v. R.G.M. Nisbet, *PVS* 17 (1978-80), 57.
[53]   K. Ziegler, *Das hellenistische Epos*₂ (Leipzig 1966), 71-4.
[54]   V. p. 106; cfr. G.M. Paul, *Phoen.* 36 (1982), 144-55.
[55]   Cfr. l'uso dell'ariete, della *testudo*, della torre con ruote, 9.503s., 12.672ss., Sandbach n. 1, (1965-6), 32-3.
[56]   *GR* 32 (1985), 197-208, *EV* s.v. *Laurentes*, 142.
[57]   *Athen.* 66 (1988), 39; v. pure R. Ross Holloway, *AJA* 70 (1966), 171.
[58]   *EV* 3.142.
[59]   *EV* 3.142.
[60]   Con 6.841-6, cfr. Varr. *Imag.* ap. Symm. *Ep.* 1.4.2, Horsfall, *Anc. Soc.* (Macquarie) 10 (1980), 20-3.

10. L'epopea poliglotta

Qualche anno fa recensii un libro dal titolo "Further voices in Vergil's Aeneid", cioè "Voci supplementari"[1], od "ulteriori". L'autore segue simultaneamente le orme di G.B. Conte e della scuola "pessimista" di Harvard[2]; nello stato del Massachussetts e dovunque si è radicato il "vangelo" harvardiano sull'*Eneide*, sussurra la gloria, la tragedia tuona. "Further voices" presuppone l'articolo-credo di Adam Parry "The two voices of Virgil's Aeneid"[3]: coll'aggiunta delle "voci supplementari", il coro si espande, le dissonanze si moltiplicano, e l'interpretazione stordisce il critico che in Virgilio trova piuttosto le armonie di Bach che non la dodecacofonia. Peggio, le "further voices" non approfondiscono tanto la nostra comprensione dei metodi del poeta: si tratta di voci esili, ed altamente intellettuali, con un unico messaggio: che il solo meccanismo di contatto tra poeta e lettore è quello dell'allusione letteraria; il lettore di Virgilio deve perciò leggere e rileggere l'epos continuamente attraverso riferimenti sottintesi a lunghi passi di altri autori, sovrapponendo (p.es.) al testo virgiliano un nesso complicatissimo di allusioni sofoclee. Ammiro molto anch'io l'articoletto di Giorgio Pasquali sull'arte allusiva (cap. 3, n. 1): non riconoscere il suo pregio meriterebbe una squalifica immediata e permanente dagli studi virgi-

---

[1] R.O.A.M. Lyne, Oxford, 1987; v. la mia recensione, *CR* 38 (1988), 243-5.
[2] V. la bella discussione di F. Serpa (Premessa, n. 1), 76-88.
[3] *Arion* 2 (1963), 66-80, rist. in *Virgil.*, ed S. Commager (Englewood Cliffs 1966), 107-23.

liani. L'allusività pasqualiana non è mai stata, però, concepita come chiave magica per aprire tutti i misteri del testo; Pasquali stesso non avrebbe tollerato un approccio così monolitico.

Certo, al duetto di Parry ci sono altre voci da aggiungere: ho protestato con energia altrove[4] contro l'imprudenza di interpretare Virgilio in termini esclusivamente poetici; in queste pagine abbiamo già accennato all'importanza degli elementi storiografici (cap. 7, nn. 18, 20, 36, 37) in vari contesti ed a vari livelli. Dobbiamo pure tener conto del contributo sostanzioso offerto dall'etnografia[5] p.es. al ritratto della civiltà italica al momento dell'arrivo di Enea (p. 141ss.): dal contrasto tra 1.420 (Cartagine) *miratur molem Aeneas, magalia quondam* ed 8.348 (Roma) *aurea nunc, olim siluestribus horrida dumis* risalta la contrapposizione al lusso punico (cfr. 136). Sono parimenti riconoscibili, come abbiamo visto, voci della geografia (cap. 3, n. 36ss.)[6] e degli studi antiquari[7].

Un altro aspetto del problema è stato felicemente analizzato da B. Rehm (cap. 1, n. 3, 70-83), cioè, i vari tipi "prestabiliti" di descrizione geografica: porti, cittadelle, fumarole, valichi (cfr. Reeker, cap. 4, n. 14, 64-73). La vita quotidiana dell'Italia leggendaria, dalla costituzione (cap. 3, n. 62) alle colazioni (cap. 9, n. 45), si configura come contributo all'epos della letteratura antiquaria; ed in alcuni casi (come abbiamo visto, p. 112s.), il "lettore attento" avrà pure individuato un'allusione letteraria esplicita a Varrone.

Non vorrei per un attimo solo dare l'impressione di voler minizzare l'importanza dell'allusività virgiliana (a Pindaro, Sofocle, Callimaco, ecc.): anche se non sono convinto da tutti i casi finora suggeriti[8], spero pure di aver lo stesso ampliato l'orizzonte dei nostri studi in tale settore[9]. Ma l'allusività letteraria non rappresenta se non una piccola parte di

---

[4] *Athen.* 66 (1988), 35.

[5] Rehm (cap. 1, n. 3), 66-70, M. Dickie *PLLS* 5 (1985), 165-221 (con i miei molti dubbi espressi in *CR* 38 (1988), 273-4), R. Thomas, *Lands and Peoples*, *PCPhS* Suppl. 7 (1982), 93-107 (con *CR* 34 (1984), 134).

[6] Per i toponimi allusivi, v. 147.

[7] Cap. 7, n. 42ss.

[8] R. Thomas a *PLLS* 5 (1985), 65-6 e nella nota a *G.* 1.294 propone le *tenues telas* della moglie del contadino e della maga Circe come metafore per la poesia!

[9] Soprattutto nei casi di Pindaro ed Erodoto e nei riferimenti alla "storia" omerica, cap. 4, n. 11, cap. 4, p. 69s..

tutto il lessico dei contatti intellettuali tra Virgilio ed il suo lettore informato. Se leggiamo l'*Eneide* senza pregiudizi, senza fretta, senza la smania di imporre nuove terminologie e schemi o metodi — la smania di leggere un capolavoro antico attraverso lenti moderne — se studiamo il testo con pazienza ed attenzione, troveremo tutta un'altra serie di linguaggi, da interpretare e da integrare senza sforzo in una visione "globale" dell'epos. Parlo, p.es., dei "linguaggi" del vestiario e del bestiario. Nel primo caso[10], dobbiamo, p.es., confrontare l'Enea di 4.261-4[11] con l'Evandro di 8.457-8, l'armatura di Cloreo, il prete frigio (11.769-73), con quella dei Ciociari, seguaci di Ceculo (7.685-90), tenendo conto della tradizione letteraria ed antiquaria su ogni tipo di armatura e di vestito. Così, arriveremo a stabilire una graduatoria di valori simbolici abbastanza precisa ed estesa. Lo stesso vale per il bestiario; al di là del giuoco di parole, gli animali, gli uccelli, nonché i serpenti, menzionati nei portenti, nei paragoni, nelle scene di caccia, sono stati analizzati varie volte[12] e rivelano un loro linguaggio simbolico ed abbastanza sfumato: sia la benevolenza del serpente (5.84-93) che il coraggio del lupo (2.355-8) vengono normalmente trascurati. Un altro "linguaggio" virgiliano ben noto è quello dei colori: il lettore attento dell'*Eneide* non può dimenticare le distinzioni, le sfumature quasi morali tra *ater*, *niger* e *fuscus*. Abbiamo già visto qualcosa del linguaggio dei nomi virgiliani, sia toponimi[13] che antroponimi[14], adoperati con grande raffinatezza letteraria, liberamente spostati qua e là come frammenti luccicanti di un orpello altisonante e semidotto (v. p. 74s.). Non vorrei suggerire che Virgilio non scriva mai con inattenzione; al contrario, abbiamo visto vari campi nei quali il poeta sembra non abbia voglia di informarsi e di scendere in dettagli minuziosi ed esatti: l'etruscologia[15], la guerra di

---

[10] Cap. 7, n. 7, *EV* s.v. *pero, Maia* 41 (1989), 251-4 *Lat.* 30 (1971), 1108-16, *RFil* 116 (1988), 57-61, M. Dickie, *PLLS* 5 (1985), 169-72.

[11] Cf. 9.614-6.

[12] S. Rocca, *EV* s.v. *Animali, ead. Etologia virgiliana* (Genova 1983), 145-61. Per l'uso dei colori (*infra*) v. *EV* s.v. (Maselli).

[13] Cap. 3, n. 38ss., cap. 7, nn. 44-5.

[14] Cap. 2, n. 103, cap. 4, n. 40.

[15] Pp. 43, 143.

assedio[16], l'architettura del telaio[17], ecc. Senza cadere in una teoria, "globale" e perciò, direi, inaffidabile del valore simbolico di ogni nome, oggetto, attributo nell'*Eneide*, siamo però riusciti ad individuare parecchi "linguaggi" o "voci" che Virgilio integra nel suo coro maestoso, e che noi dobbiamo soppesare accuratamente. Abbiamo visto pure un vero gusto virgiliano[18] per i gerghi specializzati dei giuristi, dei soldati, dei marinai — già molto apprezzato dai critici antichi[19]. Il riconoscere l'uso di tanti termini tecnici in vari campi è un altro tipo di sfida tra poeta e lettore informato (v. cap. 3).

Gli interpreti virgiliani antichi erano affatto convinti che Virgilio fosse uno specialista esimio nel campo della religione[20]; Tiberio Donato (p. 5.12-3 Georgii) dichiara che Virgilio è un maestro del culto divino — *magisterio eius instrui possunt qui se aptant ad cultum deorum*. Soprattutto Macrobio: *nec minus de sacrificiorum usu quam de deorum scientia diligentiam suam pandit*[21]; uno degli interlocutori nei *Saturnalia*, Vettius, ribadisce che Virgilio avesse le qualità di un *pontifex maximus*[22]. Il dotto H.J. Rose scrisse un libretto dal titolo *Aeneas Pontifex* (London 1948); il commento di Eden sull'8° libro, pubblicato quindici anni fa, si occupa *ante alia* di problemi di religione. Sebastiano Timpanaro[23] sostiene giustamente che gli interpreti di Virgilio si concentrano molto di più sui dettagli del culto, dei riti, dei portenti, di quanto non lo fece il poeta stesso. L'osservazione si spiega facilmente. I commenti virgiliani antichi

---

[16] Cap. 2, n. 88.

[17] p. 43.

[18] Cap. 1, n. 13.

[19] H.D. Jocelyn *PLLS* 2 (1979), 112, 5.750 *transcribunt*, 7.422 *transcribi*.

[20] P. Bruggisser *Romulus Servianus* (Bonn 1987), 3-8, N. Marinone, introduzione all'ed. UTET di Macr. 16ss., A.D.E. Cameron *JRS* 56 (1966), 29ss., *id.*, *JRS* 58 (1968), 101-2, *id. Entr. Hardt* 23 (1976), 24, R.A. Markus in *Latin literature of the fourth century*, ed. J.W. Binns (London 1974), 10-4, Horsfall *CR* 41 (1991), 242s.

[21] 3.5.1. cfr. 3.2.1, 3.2.10.

[22] La datazione di Macr. dopo il 430 è adesso sicura, v. P. De Paolis, *Lustrum* 1986-7, 122ss. Cameron (n. 20) ogni tanto sposta Servio dal 410 verso il 430, senza spiegazione; v. adesso R.A. Kaster, *Guardians of Language* (Berkeley 1988), 357-8. Molto improbabile, invece, la datazione di Tib. Donato secondo Kaster (*ibid.*, 400) — seconda metà del 4° secolo, invece di prima metà del 5° secolo.

[23] *Per la storia della filologia virgiliana* (Roma 1986), 60s.

pervenutici sono tutti eredi dell'ultima rifioritura del paganesimo, sulle orme di Elio Donato[24]: c'era, perciò, un motivo polemico e abbastanza ovvio per attribuire al poeta classico romano per eccellenza (citato pure dai Cristiani!) una specializzazione esagerata ed illusoria nel campo della religione. Di fatto, grazie soprattutto alle varie opere di Varrone, Virgilio si era informato molto adeguatamente[25]: la "doctrina" di certe sue invenzioni, come p.es. l'oracolo di Fauno (infra, p. 153s.), era sufficiente per trarre in inganno sia gli ultimi pagani che — per oltre un millennio — parecchi virgilianisti. Certo, nell'*Eneide* la religione funge da elemento di base della continuità tra Troiani e Romani (cap. 9, n. 14); la *pietas* di Eneas si manifesta in tanti atti di culto nel corso dell'epos. Ma non va mai dimenticato che Virgilio è un poeta impressionistico per gusto e disposizione. Il confronto con Silio illumina molto sulla disinvoltura di Virgilio, poeta chiaramente intollerante del dettaglio tecnico in vari campi. Il dibattito sull'esattezza di Virgilio nell'ambito della religione era già ferocemente acceso verso il 380 d.C.[26]. Penso, p.es. alle discussioni su 8.285: i Salii nel culto di Ercole (Macr. 3.12.1-9). Non vedo la necessità di eliminare ogni sospetto di svista dal testo del Mantovano. La religione serve come un altro "linguaggio" per Virgilio: un linguaggio notevolmente serio e ricco, ma non perciò da ritenere sacro ed inviolabile. Merita un'analisi minuziosa, aperta, spregiudicata, come tutti gli altri "linguaggi" del poeta. Le allusioni religiose sono talvolta facili, talaltra no; come in altri campi, il dettaglio può affascinare il poeta o infastidirlo: come al solito, egli mescola erudizione ed impressionismo. Per Igino, l'anacronismo merita la matita rossa: abbiamo appena visto come funzioni da meccanismo per collegare il mondo dell'eroe con quello del lettore di Virgilio, per rendere più vivo

---

[24] V. nn. 20,22.

[25] Sul problema di 12.120, su Igino frr. 11,5, v. *CR* 37 (1987), 179.

[26] Cfr. Macr. 3.10.2 (le obiezioni di Evangelo), Serv. *ad G.* 1.344, 1.230, Virgil ed. Conington 1₄ xlix-1. Incapace di errore, però, secondo Macr. *Somn.* 2.8.1,8. V. Squillante Saccone (cap. 2, n. 85), 21. V. Macr. *Sat.* 1.24.16, 3.2.1, 3.4.6 DServ. *ad G.* 1.269, *ad Aen.* 1.398, 2.57, 244, 3.286, 463, 4.262, 10.419, Serv. *ad Aen.* 11.186, 235.

ed attraente l'ambito nel quale i Troiani si muovono[27]. L'anacronismo accresce il nostro senso di continuità: la continuità ideologica tra mondo troiano e mondo augusteo consente a Virgilio (cfr. p. 88) di intervenire in vari dibattiti e controversie contemporanei, sul potere del senato, sulle qualità di un buon *princeps*[28], sulla religione ed i valori morali, sulla sofferenza e sulla gloria — la gloria come stimolo, come pericolo, come consolazione, come simultaneamente effimera e preziosa — egli interviene pure sulla guerra e la pace, sull'unità del mondo, su oriente ed occidente, sulla storia romana e sui problemi più grandi dell'umanità — a parte le questioni più circoscritte che abbiamo discusso.

Abbiamo adesso individuato vari elementi (non tutti) nel dialogo tra Virgilio ed il lettore: elementi di giuoco — che non implica, beninteso, mancanza di serietà — e di sfida. Il dialogo funziona attraverso allusioni più o meno esplicite, scelte lessicali, giuochi letterari, anacronismi, piccoli dettagli tecnici ed eruditi, antiquari, letterari, o contemporanei. È estremamente raro poter dire con sicurezza che un dettaglio specifico nel testo, o un'espressione complessa di tre o quattro parole o, peggio, un verso intero non abbia qualche significato "nascosto" o "secondario", non faccia parte del dialogo continuo, ricco, e polivalente tra autore e pubblico. Molti commentatori virgiliani trascurano, con effetti deleteri, questa densità ininterrotta di pensiero. Del pari un senso di dubbio e di insoddisfazione mi assale quando scorgo, in saggi moderni, il predominare del convincimento che Virgilio abbia preso una posizione chiara ed uniforme su — diciamo — la morte e la sopravvivenza dell'anima (o della *fama*), sulla gloria, o sulla morte di Turno. La tendenza del poeta a prendere una (o due, o tre) posizioni simultaneamente viene corroborata dalla sua infinita attitudine alle sfumature e all'ambiguità, e dal suo gusto per le espressioni polivalenti[29]. Mi concentro sull'aspetto ideologico ed intellettuale dell'*Eneide*, senza voler negare per un se-

---

[27] Dell'ottimo saggio di F.H. Sandbach, "Anti-antiquarianism in the Aeneid", *PVS* 5 (1965-6), 26-38, è uscita adesso una versione molto alterata *Oxford writings in Vergil's Aeneid*, ed. S.J. Harrison (Oxford 1990), 449-65.

[28] Ottimo, sotto molti aspetti, il libro di Cairns, cap. 5, n. 25.

[29] Impressionanti le osservazioni di W.R. Johnson, *Darkness Visible* (Berkeley 1976) (con alcune mie precisazioni, *JRS* 69 (1979), 233).

condo che si possa studiare legittimamente l'epopea per la bellezza del linguaggio, per l'allitterazione, per le strutture metriche, per l'uso del dativo[30]. Si può studiare, apprezzare, ammirare pure l'economia drammatica, la tensione narrativa, la costruzione dei personaggi, l'uso di autori da Omero ad Orazio. Sono tutti (o quasi tutti), direi, campi di studio legittimi e spesso importanti. Ma il legame di pensiero e di sfida alla mente ed alla memoria del lettore, il colloquio intellettuale ininterrotto tra poeta e pubblico non è stato studiato sufficientemente. Due libri inglesi degli ultimi anni, l'uno di F. Cairns (sopra, cap. 5, n. 25) e l'altro di Philip Hardie, hanno chiarito alcuni aspetti del dialogo; il "Cosmos and Imperium" di questo ultimo[31] illumina definitivamente le espressioni cosmologiche (e pure qualche parola di panegirico inconfondibile) in più di trecento pagine. Ho preferito un'ottica leggermente più ampia, con lo scopo di spiegare la varietà dei meccanismi di contatto tra poeta e lettori, ed ho preferito una scelta ristretta di esempi illustrativi, con l'aggiunta di qualche indicazione bibliografica, per risparmiare la pazienza del lettore. Ho tentato di abbozzare, le linee del dialogo, sotto vari aspetti, tra Virgilio ed i suoi lettori informati, indicando ai lettori odierni alcuni mezzi utili per approfondire l'argomento quando rileggono l'*Eneide*. Solo con l'uso dell'immaginazione addestrata e disciplinata possiamo immedesimarci nell'ottica di un lettore colto augusteo, e solo attraverso quell'ottica possiamo — utilmente e legittimamente — studiare l'*Eneide*. Dobbiamo dentro di noi diventare contemporanei del poeta e di Augusto; certo, possiamo pure leggere Virgilio con l'ottica del 4°/5° secolo d.C. (o del 12°): ma l'impresa è più arida e dà meno soddisfazione, Non vorrei finire con generalizzazioni. Preferisco tornare ad un altro passo (7.81-95) breve e difficile del testo, per riscoprire qualcos'altro di preciso circa i mezzi intellettuali di contatto tra Virgilio ed il suo lettore.

> At rex sollicitus monstris oracula Fauni,
> fatidici genitoris, adit lucosque sub alta
> consulit Albunea, nemorum quae maxima sacro
> fonte sonat saeuamque exhalat opaca mephitim.

---

[30] L. Colucci, *Prospettive per una interpretazione del dativo in Virgilio* (Roma 1981).
[31] Oxford 1986, con la mia recensione, *Times Lit. Suppl.* Aug. 29, 1986, 243.

«Ma il re, turbato dai prodigi, va dall'oracolo di Fauno, suo padre profetico, e consulta i boschi nel folto dell'alta Albunea, la quale, la più grande delle foreste, risuona del sacro fonte e dall'ombra esala il tossico zolfo». La maggior parte delle traduzioni storpiano il senso, grazie alle difficoltà della lingua o per sostenere qualche teoria topografica.

Latino, secondo l'usanza sia greca che romana[32], è indotto da un portento a consultare l'oracolo; secondo la genealogia qui seguita[33], proprio il padre di Latino è divinità oracolare[34], nel senso che parla agli uomini dal silenzio delle foreste. Che il re Latino riceva sogno o oracolo è un elemento ben stabilito nella leggenda di Enea[35]. Il nome Albunea ha creato tanti problemi: il lettore pensa subito ad Or. *Carm.* 1.7.12 *domus Albuneae resonantis* (ma Tivoli è troppo lontano dalla città di Latino e per fortuna mancano le sorgenti di zolfo), o ad Albula (il vecchio nome del Tevere; v. *EV* s.v. *Tevere*, una mia voce), o alle Aquae Albulae (Bagni di Tivoli): puzzano tutt'oggi; mancava però la funzione oracolare nel mondo antico. Il nome sembra suggerire "bianco grazie allo zolfo"[36], e non deve essere per forza riferita ad una sorgente: cfr. Ps. Prob. *ad G.* 1.10 *Albunea Laurentinorum silva*, che forse non è invenzione scoliastica[37], in quanto l'identificazione è confermata da Vitr. 8.3.2 *in Tiburtina via flumen et in Ardeatina*[38]. Si tratta della sorgente zolfifera, la Solfatara, vicina a Pratica/Lavinium ed alla città di Latino, pure a Tor Tignosa dove sono state scoperte le famose dediche a (?) Lare Aineia[39], Neuna Fata a Parca Maurtia. Virgilio però prende in prestito il nome preciso "Albunea" da Tivoli[40] e lo trasferisce da sorgente a bosco incu-

---

[32] Cfr. Liv. 1.56.5 con la nota di Ogilvie.

[33] Per la genealogia di Latino qui seguita v. 7.47, Dion. Al.1.44.3; cfr. 124.

[34] Cfr. Cic. *ND.* 2.6 *Faunorum voces exauditae* con la nota di A.S. Pease.

[35] Cfr. Dion. Al. 1.57.4, Schwegler (cap. 5, n. 10, 1, 285-6).

[36] Cfr. 7.517 *sulpurea Nar albus aqua* con la nota di Servio: *nar* = "zolfo" *in lingua Sabina*.

[37] S. Weinstock, PW s.v. *Tibur*, 833.6.

[38] F. Castagnoli, *EV* s.v. *Albunea* 1,84.

[39] Per la bibliografia più recente, v. *BICS* Suppl. 52 (1987), 17.

[40] A. è proprio il nome della Sibilla tiburtina secondo Varrone, *res div.* fr. 56a Cardauns.

batorio. Il poeta ha così combinato il ruolo oracolare di Fauno, un nome estraneo (Albunea) ed una localizzazione senza associazioni oracolari prestabilite.

Virgilio continua (85-91):

> hinc Italae gentes omnisque Oenotria tellus
> in dubiis responsa petunt; huc dona sacerdos
> cum tulit et caesarum ouium sub nocte silenti
> pellibus incubuit stratis somnosque petiuit,
> multa modis simulacra uidet uolitantia miris
> et uarias audit uoces fruiturque deorum
> conloquio atque imis Acheronta adfatur Auernis.

La voce improvvisa è (sopra, n. 34) quella tradizionale di Fauno, divinità oracolare dei boschi; ciò che precede, invece, cambia in modo radicale il carattere del passo ed esclude, direi, la possibilità che la descrizione qui discussa sia di un vero oracolo incubatorio nell'*ager Laurens*, o augusteo o più antico. I dettagli dell'incubazione[41] o piuttosto l'idea di descrivere i riti incubatori è stata suggerita a Virgilio da un passo di Licofrone[42], autore che egli adopera spesso e conosce bene[43].

La fisionomia del luogo ha tante caratteristiche in comune sia con Ampsancto (7.563-70) che con l'Averno (6.237-41): si tratta di elementi convenzionali della descrizione letteraria (v. p. 22) dei Plutoneia o Charoneia; la versione autorevole sarà stata quella (cfr. Plin. *Nat..* 2.208) di Varrone, (?) *res div. 7 de locis religiosis.*

Osserviamo che normalmente (86-91) è il sacerdote che esegue il rituale; nel nostro caso (92-5) è il re Latino. Il *sacerdos* ci lascia perplessi: l'incubante non ha bisogno di un mediatore ed esegue da solo le varie

---

[41] Velli stesi: L. Deubner *de incubatione* (Leipzig 1900), 27, Plut. *Mor.* 109c, Strab. 6.3.9.; sacrificio di pecore Deubner, 22-4, Strab. 6.3.9., Paus. 1.34.5, ecc. V. pure M. Hamilton *Incubation* (London 1906), 185-7: uso della cripta del duomo di Amalfi per sogni incubatori in questo secolo (1902).

[42] 1047-66, dove L. descrive l'oracolo di Drium, probabilmente l'attuale M. Sant'Angelo nei pressi del Gargano.

[43] Virgilio e Licofrone: esile la voce nell'*EV*; v. S. West *JHS* 104 (1985), 127-51, *ead. CQ* 33 (1983), 133-5; non tutti questi confronti sono nuovi: v. *Prudentia* 8 (1976), 86.

tappe del rito[44]. Pure i *simulacra* del v. 89 non hanno nulla in comune con l'incubazione, ma ci fanno piuttosto pensare alla negromanzia (cfr. 6.305-16): anche il negromante agisce senza aiuto sacerdotale. L'identità degli *dei* (90) non viene chiarita: i negromanti non parlano con le divinità, mentre da un oracolo incubatorio parla un'unica divinità come Asclepio o Amfiarao; dovremmo forse pensare in termini imprecisi alle divinità dell'oltretomba. *Auernis* ci richiama di nuovo alla negromanzia. La voce del v. 95, invece, non è quella incubatoria, bensì rievoca le *Faunorum voces* tradizionali delle foreste.

L'*hinc Italae gentes* del v. 85 si collega coll'*hinc et tum* del v. 92 (cfr. 7.601; 616s.; 5.596-602), nella maniera caratteristica dei passi eziologici[45]. Normalmente Virgilio sottolinea la continuità o la ripresa moderna di un antico rito: qui, invece, Latino esegue, nel senso inverso, un rito già descritto come in uso (*petunt*, 86). Non possiamo, però, dal passo desumere la presenza di un vero oracolo incubatorio nell'*ager Laurens* ai tempi di Augusto. Troppi problemi irrisolti, insomma, e troppi dettagli estranei (o cultuali o letterari). Concluse il mio caro e compianto maestro Stefan Weinstock[46]: «sembra che Virgilio senza una precisa conoscenza dei luoghi ci abbia offerto una descrizione che era convenzionale per gli oracoli incubatori».

Aggiungiamo gli elementi del tutto estranei e sono pienamente d'accordo. L'importante non è la dimostrazione dell'inesistenza dell'oracolo, ma la scoperta per l'ennesima volta nel testo dell'*Eneide* di una mescolanza di dettagli precisi di origine diversa per creare un'immagine impressionistica di un rito autentico forse al 50 per cento, atta ad affascinare e stuzzicare il "lettore informato".

---

[44] Ministri mancano nella parte pagana del libro di Deubner; l'indice non parla di *sacerdotes* o di *interpretes*. Cfr. E.J. and L. Edelstein, *Asclepius* 2 (Baltimore 1945), 148-50, R. Reitzenstein *Hellen. Wundererzählungen* (rist. Stuttgart 1983), 10; diversa la situazione nell'Egitto: Strab. 17.1.17.

[45] V. p. 116 n. 65.

[46] PW s.v. *Tibur*, 835.7ss.

Indice dei nomi e degli argomenti

Ulisse, 69s.; matrimonio con Lavinia, 83; En. "riscritto" da V., 84; caratterizzazione di, 84; valutazioni di, 84ss.; En. ed Ettore, 85; e Paride, 85; fuga di, giustificata, 86; scudo di, 127s.; si comporta da Romano, 138; e la religione romana, 138

episodio di Elena, 96

Erodoto, 45, 48

eroi italici, spostamenti degli, 51; parata degli, e Varrone, 112; creazione di un ambiente per gli, 135ss.

errori di Virgilio nella mitologia, 52

erudizione, 19, 20; poliglotta, 20; mitologica, 41ss.; funzione della, 55ss.

esecuzione pubblica di brani di V., 58

esercito romano, leggeva V., 58

etimologie 20, 109, 112-3, 116, 120; celtiche, 116

etnografia: contributo dell', 146

etruscologia: mancanza d'interesse per l', 143; V. etruscologo? 44

Ettore 51; ed Enea, 85

Euridice, 53

Evandro 84; palazzo di, 93

"excursus" storiografico, 111

eziologia 110, 116, 154

fama, fama est 117ss., 121, 122, 123, 125, 127, 129, 130, 132

Fanocle 109, 119

Fauno, oracolo di 152

ferunt, fertur 117ss., 118s., 119, 125, 127

"fidanzamento" di Turno con Lavinia 102

fides 128, 132

"firma" letteraria, 111

Flegia 48

folklore teutonico e V., 24

fonti: allusioni alle, fatte dal *poeta doctus*, 103ss., 105; quando V. dice la verità sulle sue f., 122ss.

Frigi 84

Galli: attacco nel 390: 94

genealogia, funzione della, 88, 140s.; e Varrone, 114

geografia 44; e pubblico di V. 61; e allusioni letterarie 61; g. vincola il poeta 70, 72; g. e indeterminatezza 84, 89s.; g. dell'Italia e Varrone, 113; g., autenticità, autopsia 129, 144; geografiche, descrizioni, "tipi" prestabiliti nelle 146, 153

Georgiche impopolarità delle 56; inesattezze nelle 43

Giulio Cesare: biblioteca di 29s.; G.C. nell'*En.*, 86s

giuoco tra poeta e lettori 19; giuochi verbali 20

giuochi nel 5°: dettagli romani nei 138s.

Greci in Italia, all'epoca di *En.* 83s.

greco, errori di V. nel (inesistenti) 42

guerra, aspetti tecnici della 43, 127

guerra civiile 88, 106, 111

Hesperia 120s.

Ida 69

idee post-eroiche nell'epos 139s.

Igino 29, 46, 57, 88, 149

impressionismo di V. 135ss.

improbabilità scientifiche e mitologiche, V. di fronte alle 122ss.

incoerenze 26, 48, 91ss.; critiche delle 91, 94, 102; "incoerenze" filosofiche 104; incoerenze retoriche 101s.

incubazione 152ss.

indeterminatezza 80s., 84

iniziazione 25, 130

innovazione travestite da storie tradizionali 126ss.

insolubilia 56

interpretazione di V.: non da fondare su concetti anacronistici 24s., 27

invenzione 67ss.; invenzione mitologica in Omero 78; invenzioni mitologiche 50; non sicure, 51; invenzione mitologica e gli Alessandrini 78s.; invenzione e alessandrinismo 76; invenzione nascosta 68, 75s.; invenzione di molti personaggi minori 74s.; di una vittoria nel passato di Enea 85

Io 62

Iopa, cosmologia cantata da 107

Ippolito 51, 109s.

Isole dei Beati 98

Issione 47s.

Forme materiali e ideologie del mondo antico

Collana diretta da E. Flores